KB096290

행복한
우리들의
일상여행

이태영 지음

행복한 우리들의 일상여행

발 행 | 2023년 12월 20일
저 자 | 이태영
펴낸이 | 한건희
펴낸곳 | 주식회사 부크크
출판사등록 | 2014.07.15.(제2014-16호)
주 소 | 서울특별시 금천구 가산디지털1로 119 SK트윈타워 A동
305호
전 화 | 1670-8316
이메일 | info@bookk.co.kr

ISBN | 979-11-410-6134-0

www.bookk.co.kr

행복한
우리들의
일상여행

이태영 지음

프롤로그

너의 시간 속에서 나의 시간 속으로

영원히 기억할 것 같은 행복한 순간이 밀려오는 사건들 속에서 희미해지고 묻혀 덤덤해진다. 엊그제 일은 일 년 전 일이기 쉽고, 어제 무슨 일이 있었는지 뭘 먹었는지의 물음에 한참을 생각해야만 한다. 연애하면서 꿈꾸던 결혼생활. 가족 계획도 없이 줄줄이 낳은 아이들과의 일상. 성격이 다른 세 아이를 키우며 하루하루가 전쟁 같은 일상들. 울고 웃던 소소한 일상들을 어설픈 글이지만 용기 내어 기억이 흐려지기 전에 남겨두고 싶다.

남들보다 조금 일찍 결혼하고 자녀를 빨리 출산하여 키우다 보니 이제는 약간은 무료할 만큼 시간적으로 여유가 생겼다. 폭풍처럼 정신없이 아이들 자라는 걸 바라보며 지낸 시간들이 조금씩 느슨해져 간다. 이제 나를 살피고 바라볼 여유가 조금씩 생겨난다. 아이들 챙기며 정신없는 상황에서도 능력 없음에 서글프고 내 존재감을 찾고 싶어 내적 갈등이 많았다.

하고 싶은 것과 할 수 있는 것은 너무도 차이가 크다. 아무리 생각해도 잘하는 것은 찾을 수 없음에 의기소침했다. 신은 불공평하다고, 능력 없는 나에게 신은 큰 실수를 하였다고 말하고 싶었다. 감당할 능력이 있는 사람이 아니라고, 지혜롭고 감당할 수 있는 능력을 달라고, 밤이면 숨죽여 많이도 울었다. 그러다 문득 내 능력 없음은 신이 나에게 주신 최고의 배려임을 깨달았다. 내 재주나 혹여 많은 끼를 아들과 견주에 치우치는 어리석은 선택을 하지 않게 큰 그림이 있었음을 알았다. 아들을 돌보기에 최적의 조건이라 생각하고, 내 능력 없음을 당위시하며 감사해 하기도 했다. 그렇게라도 합리화로 내 자존감에 쓰담쓰담 물을 주고 숨을 쉬었다.

 이제는 많아진 시간을 나를 위해 쓸 수 있다. 아들과 함께한 기억들이 나의 시간으로 다시 채워져 가길 원한다. 엄마가 이런 사람이라고, 이렇게 멋진 엄마라 자랑스러울 수 있도록 더욱 힘내서 살아갈 것이다. 우리의 행복한 일상들이 너와 함께하는 여행이 되리라 믿는다.

 글 쓰는 긴 여정을 함께해 주시고, 힘들어 납작 엎드려 포기하고 싶을 때마다 멱살 잡고 마지막까지 끌고 와 주신 김진희 작가님 감사합니다. 낙심한 나를 할 수 있다고 응원하고 배려해준 남편과 딸들에게도 감사를 전합니다. 이 책은 나의 사랑하는 아들에게 바칩니다.

CONTENT

제2부 평범하지만, 존재감 있게

제**3**부 함께한 행복한 인연

1부 일상...그리고 행복

여행, 판넬 위 아크릴과 레진, 2022

주인 없는 생일

나: 소고기 한 근 주세요.
사장님: 뭐 하시게요?
나: 국거리로 주세요.
사장님: 누구 생일이에요?

아들 생일 이라고 밝히기 싫은데 이를 어쩌나?

사장님: 아~ 남편 생일이군요?
나: 아~ 네.
사장님: 맛있을 겁니다.

 특별한 생일상을 차릴 생각은 없지만 그래도 미역국
은 끓이고 싶었다. 보통은 생일날 밤에 미역국을 끓였

다. 그러나 이번 아들 생일은 아침에 먹을 생각으로 하루 전날 미역국을 끓였다.

그런데 이상했다. 화요일이 생일이 아니고 수요일이 생일인 것이다. 날짜를 확인하지 않은 탓에 요일을 착각한 것이었다. 내가 가는 정육점은 화요일이 정기 휴일이라 월요일에 소고기를 사야겠다고 생각하고 있었다. 그러다 나중엔 화요일이 생일이라 월요일에 산다고 착각하게 된 것이다.

그렇게 하루 일찍 먹게 된 미역국은 참 맛이 있었다. 아들은 먹지 못했지만, 국물 하나 남기지 않고 다 먹었다.

나: 딸~ 언제 와? 오면서 조각 케익이라도 사 올 수 있어?

큰딸: 응? 케익은 왜? 나 일 끝나고 공부하러 카페에 왔는데 운동하러 나오면 케익사줄께. 먹고 싶어?

나: 아니이. 경모 생일이잖아. 그냥 조각케익이라도 사 오면 좋겠구만...

큰딸: 9일 이잖아.

나: 8일인데?

큰딸: 아니 9일이지.

나: 누가 낳았어?

큰딸: 엄마가
나: 응. 그러니까 8일이 맞아.
큰딸: 알았어. 케익 사 갈게 하하하
나: 히히히

아들이 없는 두 번째 생일이다.
다들 맛있게 미역국을 먹고 달콤한 케익도 한입씩 무
심한 듯 시크하게 웃으며 기념한다.
멋진 아들 사랑해.

이모티콘

 아들은 코인 공부를 열심히 했다. 밥을 먹을 때면 나에게 여러 가지 설명해 준다 "차트가 예쁘지? 이런 자리에서 매수해야 돼. 그러면 이렇게 길게 상승할 수 있어." 밥 먹는 시간이 늘어난다. 어떨 땐 급하게 불러서 달려가면 흥분된 어투로 설명해 준다. 말이 많아진 아들이 귀엽다. 그러나 유튜브 방송만 믿고 투자하는 것은 아닌지 걱정도 되었다. "여기에 들어가면 많은 정보들을 볼 수 있고 영어로 나오는 뉴스들도 확인해. 그냥 공부하는 게 아냐." 하며 날 안심 시킨다. "엄마도 코인 공부를 했으면 좋겠어. 그래야 믿고 장기투자 할 수 있잖아. 조금 이익 보고 팔면 안 돼. 믿음이 없으면 조금밖에 못 버텨. 내가 보내주는 방송이라도 제발 들어어." "아빠랑 해, 아빠랑. 함께 공감할 게 있으면 좋잖아." 아들이 코인을 공부하면서 아빠랑 자주 숙덕거렸다. 카톡도 자주 주고받았다. 두 사람은 나에게 투자금을 받기 위해 자꾸 설득을 했다. 또 받으면 자랑을 하고 시샘을 하고 보는 재미가 솔솔 했다. "아빠가 지금 주식을 살 때가 아니라고요. 날 줘야지~~" 귀여워, 귀여워.

큰 아이는 월급을 받으면 고민이 많아진다. 적금 넣고 미국 주식에 투자하는데 또 코인에 투자하라는 동생을 외면할 수 없기 때문이다. "난 코인은 아닌 것 같아. 그냥 안전하게 이자 조금 줘도 예금이 젤 맘 편해. 그래야 내가 얼마 모았는지 금방 알 수 있고 회사에서 스트레스받으면 모은 돈이 있어야 안심이 돼." 그러나 우리 집 재무 담당 사원의 영업 실력은 대단했다. 그런 누나도 슬금슬금 코인에 투자를 늘어가게 했다. 딸은 월급을 받으면 조용히 아들 방에 들어가 쑥덕거린다. "으악, 어떻케에~~" 딸아이의 비명 소리가 아들 방에서 터져 나왔다. 아들은 너무 놀랐는지 아무 소리도 내지 않았다. 난 직감할 수 있었다. 매수하려다가 매도당했다는 것을. 아들도 딸도 상상할 수 없는 새로운 경험을 하고는 흥분된 가슴을 부여잡느라 헛웃음만 참고 있었다. 침착한 사원은 일괄 매도된 금액을 다시 매수할 수 있게 도와주고 안심시켰다.

아들은 코인 대부분을 스테이킹 시켜 두면서 나에게 비번을 알려 주었다. "이거 10개 순서가 바뀌어도 안 되고 영어 철자 하나만 오타 나도 절대 못 풀어. 잘 적어두고 기억해야 돼. 알았지?" "엄마, 여기에 들어가서 이거 설정하고 비번 10개 누르고 개인 지갑에 넣어서 꺼내면 돼. 알았지?" 차근차근 설명도 해줬지만 스테이킹을 내가 풀어야 할 상황이 올 줄은 그땐 상상도 못 했다.

컴맹인 나는 두려워 손도 대지 못하다가 코인을 잘하는 조카가 생각나 내 계좌로 받아 달라고 부탁했다. 업비트에 있는 코인은 상속 절차를 밟아 내가 받았다. 조카는 여러 날을 컴퓨터를 켜두며 이런저런 시도를 해보고서야 안심하고 스테이킹을 풀고 내 업비트 계좌에 받아 주었다. "경모가 코인 공부를 아주 많이 했나 봐요. 보통 이렇게까지 어려운 스테이킹은 잘하지 않는데 실력이 보통이 아니었네요. 이걸 어떻게 다 공부하고 혼자 했을까 대단해요. 저도 스테이킹은 해봤지만 이런 건 처음 해보는 거라 힘들었어요." 한다. 나는 한동안 코인을 열어보지 않았다.

루나 코인 사태가 터져 코인은 신뢰를 잃고 추락했다. 또한 일부 코인을 증권으로 볼 것인지 코인으로 인정할 것인지의 논쟁으로 일부 알트코인은 상장폐지 결정이 나면서 코인은 붕괴하고 있다. 꿈에 아들은 작은 라이터로 불꽃을 살리고 싶어 가스를 계속 불꽃에 대주려고 노력하는 모습을 보았다. 새벽 2:50분. 놀라 일어나 갑자기 코인 생각이 나서 확인했는데 모든 코인이 와장창 떨어지는 중이었고 상장폐지 속보를 확인할 수 있었다. 아들이 얼마나 마음 아파했을까 생각하니 가슴이 막막했다. 떨어지는 코인보다 가슴이 더 아렸다. 우리 부부는 던지지 않고 계속 보유하기로 결정했다.

얼마 전 아들이 쓰던 핸드폰으로 기기 변경을 하였다. 특별한 소비도 없고 욕심도 없는 아들이 이상하게도 폰을 신형으로 바꿔 달라고 고집을 부렸었다. 쓰던 폰이 고장 난 것도 아니었다. "난 집에만 있다고 폰도 못 바꿔? 누나나 동생도 고장 나서 바꾸는 건 아니잖아." 생각해 보면 맞는 말이었다. 집에만 있다는 죄로 소비하는 게 없었다. 남편은 원하는 신형 폰을 구입해 주었고 정말 얼마 사용하지 못했다. 사주지 않았다면 내가 얼마나 많은 자책을 했을까. 원하는 걸 해줘서 다행이었다. 멀쩡한 핸드폰을 그냥 둘 수도, 남에게 줄 수도 없어 내가 사용하기로 했다. 그런데 기기변경을 하면 이모티콘이 사라지는 경우가 있어서 쉽게 바꾸지 못하고 있었다. 아들이 선물해 준 이모티콘이 사라질까 두려웠다. 둘이 주고받던 이모티콘. 나에겐 무엇보다 소중하다. 신중해야 했다. 그러나 더 이상 미룰 수 없는 상황이 생겨서 그걸 빌미로 용기를 내어 기기 변경했다. 아들과의 카톡 내용은 사라졌지만, 다행히 이모티콘은 살아있었다. 아들을 보는 듯 행복하다. 투자하면서 기뻐하던 아들이 생각나서 더 소중하다.

'모든 투자는 투자자의 책임이라는 경고문이 있잖아. 너의 책임이 아니니 너무 마음 무겁게 생각하지 않았으면 좋겠어. 우리는 생각보다 강하단다. 코인이 아닌 너에게 투자했던 거였어. 이젠 우리를 믿어. 지금부터는 우리 몫이니까. 함께 투자하면서 많이 즐거웠어.
사랑한다, 아들.

가족, 판넬 위 혼합재료, 2022

아들의 꽃바구니

 밝고 긍정적인 아들이 의욕 상실처럼 늘어져 보였다. 친구들은 하나둘씩 군대에 다녀오기도 하고 알바를 하기도 하고 진로를 고민하는데 본인은 아무것도 할 수 없음에 낙담한 듯했다. 어려서는 부모의 보살핌이 있어 불편함을 줄일 수 있었지만 나이가 들면서 친구들은 점점 성인이 되어가는 고민들이 본인은 마냥 어린아이의 모습으로 의지해야만 하는 현실을 받아들이는 게 힘들었던 것 같다. 아침에 일찍 일어날 생각도 없었고, 일어나서 마땅히 할 일도 없어 아침밥을 먹으면 바로 다시 침대에 누웠다. 좋아하는 게임도 하지 못했다. 아들이 유일하게 앉아서 할 수 있는 컴퓨터도 하지 않고 누워서만 지냈다. 자기도 성인이 되고 싶은 거였다.

 조심스럽게 대화하며 천천히 다가갔다. 나이를 먹을수록 도움을 받고만 살아야 하는 현실을 더 괴로워할 거란 걸 안다. 그러다 자신의 존재를 부정하는 날도 올 수도 있을 것이다. 성인이 된다는 건 정신적 육체적 경제적 독립을 한다는 것이다. 육체적 독립은 어쩔 수 없지만 경제적 독립을 찾아보라고 했다. (정신적인 면은 나보다 어른스러우니 걱정할 건 아니었다) 요즘 젊은이들은 취직하기가 어려워 부모 등에 빨대를 꽂고 살아간다고 아들이 웃으며 뉴스를 보여줬다. 취업 준비생인 누나에게 농담을 건다.

"누나, 부모님 등에 빨대 꽂을 생각 하지 말고 꼭 취업해. 내가 응원해 줄게. 그 등엔 벌써 내가 꽂았어. 빨대 두 개는 안 돼. 양심이 있지. 알았지?"

"어? 나도 그럴 수 있었는데 늦었네." 하며 한참을 웃는다. 막내에겐 기회도 없다.

처음 근육병 진단을 받았을 때 "잘하면 초등학교 때까지는 살 수 있을 겁니다." 하셨다. 아마도 부모가 충격을 받지 않게 최대한 길게 잡아 말했을 것이다. 장애인 부모들은 아이보다 단 하루라도 더 살다 갔으면 좋겠다고 한다. 그래야 아이의 마지막까지 돌보고 편히 눈 감을 수 있을 테니까. 우리 부부는 그렇지 않았다. 당연히 우리보다 수명이 길거라 생각했다. 몸의 뼈가 다 드러나고 불현듯 체력이 떨어져 혼수상태가 되는 상황이 찾아오기도 했지만, 아이의 생명력을 믿었다. 그저 짧게 왔다 갈 거란 생각을 하지 않았다. 비록 몸은 연약해도 평범한 일상을 영위하길 소망했다.

"엄마 아빠가 여유 있게 생활을 못하더라도 네가 생활할 수 있는 돈은 어떻게든 남기고 가겠지. 넌 누군가의 도움을 받아야 살아갈 수 있을 텐데 돈을 관리하고 불리는 능력이 절대적으로 필요해. 사람을 부릴 줄도 알아야 하겠지. 부모가 돈을 물려주고 가더라도 너에게 그런 능력이 없으면 혼자 독립적으로 살 수 없잖아. 누나나 동생이 널 도울 수는 있어도 책임지라고는 할 수 없잖아."

"응, 나도 내가 뭐라도 할 수 있으면 좋겠어. 돈을 벌지 않아도, 짧은 시간이라도 할 일이 있으면 좋은데 언제 아플지도 모르고 몸이 아프면 계속할 수 없는데 어떻게 하지?"

할 수 있는 걸 찾고 있었을 것이다. 얼마나 많은 고민을 했을까? 생각할수록 더 좌절감을 직면해야 했을 것이다. 타이핑 쳐주는 알바나 봉사를 할까 알아보기도 하고, 게임코치를 알아보기도 했다고 한다. 출퇴근은 고사하고 정해진 몇 시간도 장담할 수 없는 체력으로 할 수 있는 일이 뭐가 있을까?

아들이 취직할 수 없으면 내가 우리 집 재무관리 사원으로 취직시키면 된다. 유치원에서 받아 주지 않았을 때에도 내가 어린이집이나 유아 돌봄 방을 운영할 생각을 했었다. 유치원에 가지 못하고 혼자 집에서 있어야 한다면, 집에서 함께 어울릴 환경을 만들어 주면 된다고 맘먹었었다.

"주식이나 코인을 공부해 보는 건 어때? 넌 돈을 벌면 뭐가 하고 싶어? "

"몰라. 내가 돈이 뭐가 필요해. 아무것도 할 수 없는데. 생각해 보지 못했어."

"그럼 네가 돈이 생기면 뭘 할까부터 상상해 봐. 네가 쓸데가 없어도 돈이 있으면 이걸 하면 기쁘겠다. 하는 걸 생각해 보는 거지. 엄마 집도 사주고, 차도 사주고, 하루 밥도 네가 사주고. 돈도 어디에 잘 쓸 건지를 생각하다 보면 목표가 생기고 희망도 생기고 의욕도 생기고 좋아"

아들은 주식보다 코인을 더 좋아했다. 주식은 국제정세나 알 수 없는 변수가 더 작용한다며 코인 차트를 공부했다. 주식이든 코인이든 나에겐 중요하지 않았다. 리스크도 나에겐 중요하지 않았다. 그저 아들이 정신을 쏟을 새로운 흥밋거리가 절실히 필요했다. 희망이 생긴 아들은 무력하게 누워있지 않았다. 다시 생기를 찾았고 주식과 코인은 공동 관심사가 되어 함께 얘기할 게 많아졌다. 어느 날엔 무척 신나 있고 또 시무룩한 날도 있고 아이의 얼굴이 코인의 일기예보다.

"어째 요즘은 많이 떨어졌나? 왜 힘이 없어어"

"물어보지 마요. 왜 자꾸 물어봐아"

"아니, 재무 담당 신입 사원이 일을 잘하는지, 실적은 어떤지 알아야 승진도 시켜주고 하는 것이지. 너 그렇게 말도 안 해줄 거면 보고서 내던지. 직장생활의 생리를 잘 모르는구먼?"

"내 이름으로 꽃바구니가 왔는데 당신이 보냈어?" 남편에게 전화해 보았다. 내 생일도 아니었고 남편이 아니면 딱히 누가 보냈는지 떠오르지 않았다. 시끄러운 이 상황에 막 잠에서 깬 아들이 장난스럽게 웃으며

"그 꽃 내가 보냈어." 한다.

"아들, 보낸 사람 못 찾는다고 얼렁뚱땅 숟가락 얹으면 안 돼. 누군지 알아야 고맙다고 인사를 하지." 믿지 않아 답답했는지 핸드폰을 보여준다.

"봐봐, 여기 꽃 배달 서비스 주문 넣은 영수증 보이지? 이런 꽃으로 이렇게 왔지?"

"우와, 정말이네? 뭐야 엄마 생일도 아니고 어버이날도 아닌데?"

"엄마가 돈이 생기면 뭘 하고 싶은지 생각해 보라고 했잖아. 그래서 처음 익절을 하면 엄마에게 좋아하는 꽃을 선물해 주고 싶었어. 너무 좋아."

뜻밖의 선물을 받은 나보다 아들은 더 행복해하며 웃
는다.

하루

"하루는 몇 살이에요?" "7살쯤 됐어요."
"망고가 5살인데 그렇게밖에 차이가 안 나나요?"

 그런가? 그리고 보니 벌써 9살이 되었다. 큰 아이가 고3 때 우리 집에 입양되었다. 아들이 어느 날 고양이를 키우고 싶다고 졸라댔다. 늘 집에서만 생활하는 아들의 부탁을 차마 외면할 수 없었다. 아들의 영어 봉사 선생님이 (슬리퍼형) 키우는 고양이를 보며 입양하고 싶었던 모양이다. 선생님은 분양하는 가게에서 입양을 하면 건강하지 못할 확률이 높다며 가정집에서 분양받길 권해 주었다. 그리고는 사람과 친숙한 성격을 지닌 샴 고양이를 직접 가정 방문을 하여 입양해 주겠다고 약속해 주셨다. 고양이의 부모를 봐야 성격을 가늠해 볼 수 있고 가정의 분위기도 파악할 수 있다고 했다. 고양이도 부모를 보고 입양하는 게 신기하기도 하고 번거로움을 마다하지 않고 아들의 귀한 친구를 신경 써 주시는 게 고마웠다.

"고양이가 왜 두 마리예요?"

"새끼들이 다 입양을 가고 두 마리가 남아서 어찌나 잘 노는지 암컷 한 마리만 데리고 올 수 없었어요. 죄송합니다."

"한 마리도 힘든데 어떻게 두 마리를 키우죠?"

"수컷은 탈장이 있어서 입양이 안된 모양이에요. 수컷만 놓고 올 수 없어서요. 죄송합니다."

우리 집에 발을 디밀고 들어온 고양이를 다시 돌려보낼 매정함은 없었다. 선생님도 작은 자취방에 키우는 고양이가 있으니 차마 넘길 수도 없다. 아들처럼 아픈 아이가 이렇게 연이 되어 우리 집에 온 것도 다 인연인 듯했다. 두 마리의 샴 고양이는 주인이 아들이란 걸 알고 있는 듯 아들의 방에서 나오지 않고 뒹굴고 침대 끝에서 잠들었다. 아들은 작고 뽀얀 고양이 두 마리가 눈앞에서 꼼지락거리며 돌아다니고 스쳐 지나는 따뜻하고 부드러운 느낌에 어찌할 바 모르고 좋아했다.

"이름을 뭐로 지어야 할까."

"소연이가 대학을 어디로 가려나? 서울, 경기로 할까?"

"하루는 어때? 일본말로 하루는 봄이란 뜻이야."
아들이 말한 하루가 맘에 들었다. 봄이라는 의미도 좋고, 새로운 희망이 느껴져서도 좋았다. 암컷은 나비, 수컷은 하루로 정했다.

 슬리퍼형이 주말에 놀러 와서 나는 잠깐 외출하고 돌아오니 나비가 병원에 가 있다고 남편이 알려줬다. 남편과 함께 동물병원에 가면서 사고 소식을 들었다. 형이 준 캔 간식을 나비가 먹다가 기도에 걸려 호흡이 멈춰 병원에 옮겼을 땐 벌써 늦은 상태였다고 했다. 아이들은 나비가 병원에서 돌아오지 않자 데려오자고 자꾸 졸라대며 울었다.
"의사 선생님 딸이 병원에 놀러 와서 치료받는 나비가 예쁘다고 입양하고 싶다고 해서 그러라 했어. 나비는 목을 심하게 다쳐서 오랫동안 치료받아야 하는데 의사 선생님이 돌봐줄 수 있으니 그게 더 좋을 것 같아서 입양 보냈어."라고 말했다. 차마 무지개다리를 건넜다고 말할 수 없었다.

 처음 계획대로 암컷만 입양했으면 얼마나 암담했을까?
하루는 그날의 순간을 잊지 못하는 건지 형이 오면 소파 밑이나 방으로 숨어서 갈 때까지 나오지 않았다. 머리가 너무 좋은 모양이다.

 아들은 침대에 누워있다가 의자에 앉으려 할 때 하루가 자기 좌식 의자에서 잠들어 있으면 좋아했다. "비키라 고오. 내 자리야 아"하며 웃는다. 발밑에서 잠꼬대하며 자는 하루가 귀엽다고 웃는다. 아들 방 창틀에 앉아 바람을 쐬기도 하고 잠이 들기도 한다. 아들은 침대에 누워 하루를 잡아서 옆에 눕혀 달라하고는 " 아이 좋아, 아이 좋아" 한다. 형의 맘도 몰라주고 잠깐 있다가 휙 빠져나간다. 형 책상에 있는 물을 먹다 엎지르기도 하고, 게임화면을 큰 덩치로 가리고 앉아 꼼짝하지 않고 버티기도 한다. 아들이 밥을 먹으면 조용히 내 옆에 앉아 기다린다. 아들은 점잖게 앉아서 함께 밥 먹는 걸 지켜봐 주는 하루가 신기하고 귀여워 죽는다.

 하루가 오고는 아들이 행복하다는 말을 많이 했다. 작은 생명체가 주는 따뜻함이 아들을 웃게 했고 대화의 고리가 되어 주었다. 아들이 떠나고 텅 빈 방을 하루는 침대에서 며칠을 나오지 않고 있었다. 식구들은 이제 아들이 보고 싶으면 하루를 안고 그립다고 말한다. 외출하고 돌아오면 "아들 아들 ~ "하며 하루를 불러본다. "엄마 아들은 나라 고오~"하며 시샘하던 아들의 목소리는 이젠 없지만, 하루가 있어 아들이라 부를 수 있어서 다행이다.

 내가 아들이 잠들 때까지 기다렸다 잠자리에 들었던 것처럼 하루도 내가 침대에 들어갈 시간까지 깊은 잠을 자지 않는다. 내 옆에서 졸고 있다가 자러 들어가면 따라 들어와 내 발밑에서 고이 잠든다.
하루는 어떤 패턴이 있는지 모르겠지만 나와 남편 아들의 발밑에서 잤다. 딸들의 방에선 잠들지 않는다. 하루는 남편을 유독 좋아한다. 퇴근하면 강아지처럼 반기고 옆에 누워 시끄러울 정도로 팥죽을 끓인다. 나의 눈치를 보는 건지 나와 눈이 마주치면 슬쩍 일어나 떨어진다. 그런데도 남편이 잘 때 함께 자지 않고 내 곁을 지키고 기다린다. 어떤 땐 하루를 위해 잠자리에 일찍 들 때도 있다. ˝그래, 오늘도 수고했다. 피곤한데 얼른 자라.˝ 꼭 아들 재우는 것 같다.

 하루는 혼자 집에 있는 일이 없었다. 늘 집엔 아들이 있어 무섭거나 외롭지 않았을 텐데 이젠 혼자 있을 하루가 신경 쓰인다. 우리 가족이 집에 혼자 있다는 건 아들의 부재를 온몸으로 실감한다는 것이다. 외출할 때는 대문을 닫고 미안함에 잠깐 서 있다가 발걸음을 옮긴다. "하루는 아무 생각 없어. 괜찮아."하며 돌아선다. 오빠가 없는 하루를 막내는 더 안쓰러워 챙긴다. 우리는 모두 아들의 빈자리를 하루로 인해 위로받고 채우고 있다. 하루는 식사할 때면 꼭 자리를 먼저 차지하고 앉아 기다린다. 말 그대로 함께 식사하는 식구다.

"하루는 캣타워 안 사줘도 되겠다. 10층짜리 캣타워에 있는 거나 마찬가지니까." 베란다 창틀에서 밖을 한참 바라보고 있더니 날 보며 잠들었다.

하루, 캔버스 위 아크릴, 2022

꿈

"어제 나 꿈에 경모 왔다? 그런데 왜 항상 그 상태로 오지?"

딸아이는 몸이 불편한 동생이 꿈에서는 펄쩍펄쩍 뛰어 다니거나, 건장한 청년의 모습을 기대했나 보다.

일본식 정갈한 마루에 늘 앉아있던 의자에 앉아있었다 고 한다. 왜, 이제 왔냐고 말했다 한다. 요양원인 듯했 다고 했다. 동생이 아직도 불편한 몸인 게 싫었는지 한 참을 운다.

엄마는 요즘 계속 죽은 시체를 보는 꿈을 꾼다고 했더 니 로또 복권을 사자고 했다. 좋은 징조인가? 아침부터 내 주식 종목 하나가 잘 올라가고 있어서 복권은 됐고,

상에 매도 주문을 넣었다. 26.37% 까지 상승했다가
20.51% 상승으로 아쉽게 장이 마감되었다. 매도는 내
일 다시 꿈꿔 보도록 해야겠다.

사진

남편이 회식하고 들어와 취기가 가득한 몸으로 냉장고 문을 잡고 한참을 서 있다. 찬물을 마시고 싶어서 그러는 줄 알았다. 도와주러 가까이 다가서다 흠칫 나도 모르게 멈춰 버렸다. 남편의 시선이 냉장고 문에 붙은 사진에 멈추어 있었기 때문이다. 경모와 처음 검사하러 서울 대학교 병원에 다녀오면서 찍은 스티커 사진을 보고 있는 것이다. 그렇게 사진 속 어린 아들을 한참 동안 바라본다. 우린 서로 각자의 방법으로 그리워하며 스스로를 위로하고 있다. 크게 슬퍼하지도 못하고 조용히 자기 자신을 달래고 있다.

남편은 경모가 장애가 있음을 처음 알았을 때도 그랬다. 왜냐고 원망하거나, 억울하다고 소리 내어 울지 못했다.

경모를 부정하고 싶지 않았기 때문이다. 건강한 아이가 아니면 아들의 존재가 의미 없다고 느낄까 걱정이 되었기 때문이다. 속 시원히 울지도 못하고 하늘 향해 원망도 못 하고 가슴으로만 울고 있다. 경모가 떠난 날에도 그랬다. 차곡차곡 쌓은 눈물은 언제 터져 무너질지, 얼마나 더 견딜 수 있을지 모르겠다.

 사진 속 경모는 얼떨떨한 표정으로 선명하게 살아있다.
조금씩 그리워하고, 조금은 놓아 보내며 웃다, 울다 그렇게 슬픔은 희미해지겠지.

아는 만큼 보인다.

 딸아이의 외출 후 식탁에 배를 보이며 널브러진 파우치백이 눈에 들어왔다. 넘치고 치일 정도로 많은 화장품들. 이제는 어디에 쓰이는 것인지도 모르는 게 많고, 깨알같이 적힌 글자를 읽을 용기도 관심도 없다. 그런데 유난히 내 시선을 잡아끄는 복숭앗빛 매니큐어가 빼꼼 고개를 내밀고 있었다.

"어머, 색이 너무 곱다. 네일아트를 하고 왔는데 왜 매니큐어를 가지고 다니지?"

며칠이 지나서 또 매니큐어가 내 시선을 사로잡았다. 그 고운 핑크색을 바르고 싶어졌다.

 와인색 젤네일이 제법 자라난 곳에 살짝 핑크 매니큐어를 발라 봐야 하나 망설여졌다. 아니지, 나에겐 10개의 발가락이 있지 않은가. 욕심껏 큰 엄지발톱에 매니큐어를 발랐다. 색이 너무 고와서 한 번으로는 흐릿했다. 두 번을 발랐다. 보기와는 사뭇 느낌이 다르다. 실망스러웠다. 차라리 그냥 보는 게 더 예쁘다.
엄마의 화장품이 신기해서 엄마 몰래 엄마 놀이하는 여자아이의 호기심 놀이가 생각난다. 딸아이가 잠든 사이 신기하고 예쁜 화장품들 사이에서 핑크색 매니큐어를 들키지 않는 발톱에 바르고 말하지 않아야지 생각하며 웃음이 났다. 젊은 청춘으로 돌아가질까? 조금은 비슷하게라도 생기 있어 지려나?

 "왜, 핑크색 발톱이 다 뭉개져서 없어졌을까? 잠을 험악하게 잔다고 한들, 밤에 바른 매니큐어가 다 지워질

일인가?"

다시 바를 생각은 없다. 잠깐의 호기심이었다.

열심히 화장하는 딸아이 손에 그 예쁜 매니큐어가 들려
있다. 왜? 바쁜 화장하는 중에 그 물건을?

"그거 뭐야?"

"이거? 볼 터치."

맙소사. 무슨 볼 터치가 액체로 나온단 말인가?

일상

 오늘도 한 줄 쓰지를 못했다.

 마음속에 떠도는 감정은 순간순간 설레기도 하고, 가라앉기도 하고, 알 수 없는 감정으로 흐트러진다. 자세히 들여다보며 생각해 본다. 지금은 행복한가? 우울한가? 만족한 상태인가? 불만스러운가? 웃음이 나기도하고, 갑자기 눈물이 흐르기도 하고, 종잡을 수 없다. 무겁게 내려가는 감정을 힘들게 들어 올리고 있다. 지금은 그게 최선이다.

휴가 내고 공부하러 카페에 나가는 딸을 따라 성수동 핫한 카페에 마주 앉아있다. 저녁 준비해야 해서 서둘러 집에 가자고 하니, 한 줄은 쓰고 가라며 미동도 하지 않고 기다려준다.

할 수 있다고 용기를 준다.

2부 평범하지만, 존재감 있게

프렌치 웨딩 로즈, 판넬 위 아크릴혼합, 2022

비가 오는 아침

아침부터 비가 오면 모닝커피를 마시고 싶다. 시간을 내 맘대로 쓸 수 없는 상황이지만 비 오는 날엔 더욱 간절히 짬을 내어 모닝커피를 마시러 카페에 나가고 싶어진다. 아니 나가고 싶어 미친다. 내가 나갈 수 있을 때 비가 그치면 어쩌나 창밖을 쳐다보며 확인하기도 한다. 눈 오는 날에도 그렇지만 비 오는 날이 더욱 심하다. 장맛비가 쏟아지면 내 영혼은 가출이다.

비 오는 날 카페는 혼자서 책을 봐도 좋고, 둘이서 도란도란 속삭여도 좋다. 여럿이 만나는 건 다음 기회로

미룬다. 내 반경 안의 동네 카페는 4곳이 있다.

첫 번째 브레드 앳 홈은 자매가 함께 운영하고 있다. 언니는 빵을 만들고 동생은 홀을 담당한다. 늘 조용한 성격의 자매는 오랜만에 찾아간 날 과하지 않게 아는 체해준다. 빵 만드는 공간이 많은 부분을 차지하고 있어서 차를 마실 수 있든 테이블이 4인 좌석은 하나이다. 벽으로 창으로 길게 바 형식의 3, 2명 정도 앉을 수 있는 자리가 다이다. 아들이 있을 땐 집에서 가장 근거리라 부르면 달려가기가 편해서 애용했다. 직접 만든 빵과 커피를 함께 마실 수 있는 점이 가장 좋다.

두 번째 카페는 이 동네에서 가장 오래되었고 주차 공간도 있는, 공간이 가장 큰 블랙빈스다. 동네에 이런 카페가 있다는 거에 감사하는 마음이 크다. 특히 멀리 나가지 못하는 나에게 뿐만이 아니라 초등학교 학부형들에게는 신학기 모임의 공간이다. 코로나 때에는 이 카페의 존재가 빛을 발했다. 가정주부들이 모여서 수다를 떨고 잠깐의 휴식으로 에너지를 충전한다. 아침 일을 마무리하고 점심 식사 후 나른함을 카페인 수혈로 풀어 본다. 헤어질 땐 저녁 메뉴를 생각한다. 메뉴가 정해지면 또 열심히 귀가하는 식구들을 위해 맛난 저녁을 준비하러 서둘러 들어간다. 바이크 동호회 회원들도 많이 온다. 중랑천 출입구 옆에 위치해 있어서 날이 더워지면 잠깐 쉬어가기 위해 들리는 듯하다. 카페엔 자전거 거치대가 있어 잠깐 들려 가기에 편리함이 장점이다. 테니스 동호인들도 4~5개 테이블을 차지할 정도로 많은 사람이 동시에 들어온다. 애완견과 함께 오는 손님도 많다. 동네 친구들끼리 큰 소리로 얘기해도 신경 안쓰고 웃을 수 있는 공간이라 좋다. 사장님이 직접 만들어 파는 꽈배기도 심심풀이 커피와 먹기 좋다.

세 번째 방울새는 식물이 많아 좋다. 처음엔 딸이 레트로 감성으로 오픈했었다. 휴학 중에 카페 경험을 살려 오픈했지만 학교로 복학하며 엄마가 사업을 맡아서 하게 되었다. 오드리 헵번을 닮은 짧은 머리가 잘 어울리는 사장님은 식물을 잘 키우는 분이시다. 공간을 옆 상가까지 임대하여 벽을 뚫고 확장했다. 복고풍 공간에 사장님이 좋아하는 식물들로 채워지고 꽃들이 호객행위를 하는 식 카페로 변해갔다. 사장님은 직접 피칸 파이도 만들고 비 오는 날이면 사진 찍어 톡으로 보낸다. 날 낚는 중이다. 겨울에 신메뉴로 만든 대추차가 내 맘에 쏙 들었다. 대추를 워낙 좋아하는데 진하게 차로 마실 수 있어서 정말 좋다. 대추를 직접 사다가 밤새 고아 체로 내려 차로 만들었다. 또한 대추차를 팔기 위해 도자기 선생님께 찻잔을 주문해서 편강과 함께 내어 주는 정성이 대단하다. 다음 겨울이 기대되는 카페이다.

네 번째는 허름한 치킨주막을 새롭게 단장하고 코로나 시기에 오픈한 심재다. 통유리로 되어있어서 비 오는 날 딱이다. 동네에서 가장 세련된 곳으로 테이블과 의자가 등받이도 없는 젊은 감각이다. 여러 명이 만나 소리 내서 얘기하기엔 은근 신경이 쓰이고 오래 있기엔 조금 미안스럽다. 젊은 남자 사장님은 손님이 없는 한가한 시간이면 노트북으로 뭔가 작업을 하고 있다. 도대체 뭘 하는 건지 호기심이 발동한다. 또 다른 사업을 하는 것인지 물어보고 싶지만 유별난 늙은 아줌마 소리를 듣게 될까 두려워 조금 궁금한 채로 남겨 둔다.

아파트 붉은 담벼락 밑으로 담쟁이가 푸릇푸릇 덮이는 유리문 풍경이 한적한 곳에 나가 있는 착각을 준다. 멍하니 담쟁이를 바라보고 있노라면 사실은 좁은 골목길이라 통유리로 지나가는 사람과 눈이 마주치는 민망한 상황이 자주 연출된다. 바로 옆 건물 3층이 내가 시간 나면 들락거리는 미술 학원이라 커피 마실 일이 생기면 멀리 가지 않고 이곳으로 가게 된다. 카페 4곳이 5분 거리에 있긴 하지만 뭐가 그리 바쁜지(귀찮은 건가?) 자연스레 발이 향한다. 잠깐 머물기엔 통유리로 되어있어 답답하지 않고 훤해서 끌리는지도 모르겠다.

기분에 따라, 날씨에 따라, 만나는 친구나 인원 등을 고려하여 카페를 정한다. 멀리 나가지 못하는 나에겐 각각의 분위기가 달라 4곳으로도 충분하다. 지역 상권의 발전을 위해서라도 고르게 방문한다. 비 오는 날은 통유리 카페에서 하염없이 비를 보고 싶다. 비 오는 날은 숲이 우거진 도로를 드라이브하고 싶다. 비 오는 날

커피 향과 함께 스멀스멀 올라오는 운치가 좋다. 생명
력을 느낀다.

흔한 하루 일상

출근길 화단에 새로운 꽃들이 선보인다. 이름도 모르고 어디서든 흔히 볼 수 있는 꽃은 아니다. 봄의 생명력은 신선함을 준다. 나도 새롭게 무언가를 하고 싶고 할 수 있을 것만 같다. 봄은 나에게 뭔가를 기대하며 요구한다. 뭐지? 뭘까?를 더운 여름이 될 때까지 편치 않은 맘으로 숙제하듯 답을 찾는다. 없다. 그럴 줄 알면서도 매번 봄에는 꼭 욕심 안 부리고 작은 거라도 날 찾겠다고 두리번거린다. 만나는 지인들에게 힌트라도 얻고자 새해 계획은 세웠는지 묻는다.

올봄은 그런 숙제 없이 왔다. 출근을 한다. 아침에 일어나는 것이 가장 힘이 든다. 9시 출근에 늦지 않게 겨우 일어나 10분 거리 사무실에 간다. 3층을 오르며 두근거리는 긴장감이 좋다. 새벽에 주문된 옷이 사무실 앞에 배달되어 있다. 많은 양이 쌓여 있으면 기쁘면서도 언제 이걸 다하나 하는 즐거운 비명이 나온다. 적게 들어오면 일이 빨리 끝나겠다 싶은 생각에 신나면서도 딸아이 사업인데 기뻐할 일만은 아니다. 내 마음은 짚신과 우산을 같이 파는 것이다. 그래도 은근 양이 많아야 좋다. 최근 들어 일거리가 몰아쳐 들어오더니 오늘 오래간만에 조금 들어왔다.

서둘러 포장하고 동네 엄마들과 커피타임~
큰 아이 친구 엄마들과 나이도 비슷하고 같은 동네 아파트에 20여 년 함께 지내오고 있다. 예전엔 가장 큰 관심거리는 아이들 성적, 학교생활, 학원, 진학 등이었다. 아이들이 이젠 대학까지 졸업하고 대학원 진학도 하고 취업도 하고 창업도 하였다. 취직이 힘들다고 연일 뉴스가 쏟아지지만 어느 누구 놀고 있는 자녀가 없다. KT, 하림, 코레일, HMM, 카이스트 박사과정, 쇼핑몰 대표. 어디 내놓아도 자랑스러운 아이들이다. 그래서일까? 50 중반이 지나고 있지만 다들 갱년기는 없다. 지극정성 자녀만을 위해 헌신하던 시간을 허무함이나 우울감으로 빈집 증후군을 호소하지도 않는다. 다들 육체적으로 정신적으로 건강하다. 남편의 퇴직을 신경 쓰지도 않는다. 적당한 부를 탄탄하게 일궈 왔기 때문이다. 삶의 시간을 현명하게 쓰고 있다.

지금은 다들 자신을 위해 집중한다. 미술을 전공한 엄마는 도자기 수업에 진심 열심이다. (얼마 전 코엑스에서 전시회를 했다) 탁구를 시작한 엄마는 여행도 함께 다니며 생활반경을 해외로까지 확장시켰다. 또 주식 공부를 열심히 하고 간간히 커피를 사기 위해 눈 빠지게 요래 요래 하였다고 즐거워하는 엄마도 있다. 부모님을 모시고 형제들이 함께 모여 살기 위해 집을 짓고 인테리어가 한창이라 즐거운 고민에 빠진 엄마도 있다.

물론 나도 새로운 취미를 시작했다. 아크릴 그림 그리

기. 새로운 재료를 사용해서 그림 그리기가 훨씬 다가가기가 편하고 재미있다. 금요일엔 일찍 출근하여 작업하다가 수업하러 간다. 수업이 끝나면 다시 작업하러 간다. 금요일 작업은 쉬고 싶지만, 딸은 허락해 주지 않는다. 직원도 아닌 알바인데 대표가 너무 빡빡하게 군다. 어버이날을 맞이해서 카네이션작품을 2개 만들었다. 일상이 꽃길이다.

남편을 위해 저녁을 준비한다. 딸들과 함께하는 저녁식사는 기대하기 어렵다. 다들 야근하고 귀가 시간이 늦다. 남편이 일찍 퇴근해서 함께 저녁을 먹으니 좋다. 아이가 일찍 와서 저녁을 먹어도 난 남편을 기다렸다 함께 먹는다. 오늘은 묻혀놓은 시금치나물이 아까워 김밥을 준비했다. 계란 넣은 라면은 2% 부족한 정성을 들키지 않기 위한 현란한 속임수다. 크게 먹는 거에 까탈스럽지 않은 남편의 식성에 감사한다. 29년 주부 생활에 늘지 않는 음식 솜씨는 누굴 탓할 것인가. 주부 9단은 어떻게 되는 건가요?

밥도 먹었고 과일도 먹었고, 딸들도 오늘은 집 밥을 먹었으니 이제 한가하게 밤을 즐기면 된다. 저녁 뉴스가 끝나면 남편과 함께 중랑천 산책을 다녀온다. 동호대교까지 약 5km로 넉넉하게 1시간짜리 코스다. 우리는 이 시간에 많은 대화를 한다. 아이들에 관한 이야기, 투자 이야기, 미래 계획 등 천천히 걸으며 대화한다. 어떤 날엔 CBS 레인보우 라디오 <김현주의 행복한 동행>에 나오는 음악에만 집중하며 함께 걷는다. 소소한 일상이지만 평온하고 감사하다.

파리 유학

 젖먹이 아이도 있는 애 엄마가 어느 날 가정을 뒤로하고 자신의 꿈을 위해 유학을 떠난다. 지지리 가난하여 사랑하는 남자와 결혼하지 못하고 버림받았지만, 유학 갔다 능력 있는 전문직 여성으로 돌아온다. 이런 종류의 인기 드라마 소재가 많다. 어떻게 주인공들은 몇 년나 죽었소 지내다 오면 남들이 넘볼 수 없는 커리어를 장착해 오는 걸까?

 주인공처럼 그렇게 대단한 능력이 아니어도 좋았다. 그저 나의 숨구멍이 간절히 필요했고 나를 나로 조금은 채우고 싶었다. 아들의 손발로 말고, 내가 날 위해 시간

을 조금이라도 쓰고 싶다는 욕심이 생겼다. 시간이 지
나면 더 못할 것 같았다.

 전공을 살려 대학원에 진학하는 방법이 가장 간단해
보였다. 주위 사람들에게 설명하기도, 가능성도 가장 커
보였다. 그러나 전공을 살릴 생각은 전혀 없었으니 대
학원은 내 돌파구가 되어 주지 못했다.

그림은 그린 적도 없고 어릴 적에도 소질 있단 소리는
들어 보지도 못했다. 내 시간을 쓸 수 있다면 그림을
그려보고 싶었다. 그림 하면 파리지. 남편에게 파리로
유학을 가겠다고 했다. 아들의 상태는 지금. 현재가 가
장 최고의 상태이므로 더 힘들어지기 전에 내 시간을
써야겠다고 말했다. 요즘 젊은 맞벌이들처럼 아이를 함
께 감당해서 키우면 3년. 아니면 1년이라도 좋다고 했
다. 몰두해서 쓸 수 있는 시간이 간절히 필요했다.

유학비용을 달라했다. 나도 아들을 놓고 파리로 떠날
용기는 없으니 유학 간 샘 치고 퇴근 후 아이를 보라고
했다. 남편은 퇴직하면 하라고 했지만, 아들의 상태가
안 좋아지면 못 할 게 뻔했다. 그래서 집에서 아들을

챙기며 유학비용 명목으로 활동비 60만 원을 지원받고 미술을 배우기로 했다. 사실 돈은 무의미했다. 남편도 나도 돈으로 책정해준 시간의 자유를 확보한 것임을 안다.

힘들게 결심하고 세상 밖으로 나서려는데 코로나가 터졌다. 코로나는 이전보다 더 집에 묶어 놓았다. 모든 이들이 활동에 제약이 있고 조심하고 경계했지만 연약한 아들을 지키느라 온 식구가 다 노심초사했다. 코로나로 두려움에 시간을 보내고 있을 때 나의 간절함이 통했는지 내 반경 안에 수채화 수업을 한다는 것을 인스타를 통해 알게 되었다.

<금요일 10시 수채화 수업 모집합니다> 파리보다 좋았다. 그러나 갈 수 없는 건 매 한 가지였다. 인스타를 보며 부러움에 좋아요만 눌렀다. 일 년이 흘렀다. 10시 수업 시간에 맞추어 갈 수는 없다. 아들의 아침 시간을 위해 사용할 귀한 시간이기 때문이다. 다행히 수업에 늦어도 된다는 허락을 받았다. 많은 인원이 수업하는

게 아니고 수강생이 단 한 명뿐이라 괜찮다고 편히 오시면 된다 했다. 그러나 내가 가용할 시간은 최대 2시간이다. 일 분 일 초도 넘기면 안 된다. 아들은 혼자 움직이지 못하니 조금만 늦어도 안 된다.

금요일 단 두 시간은 이제 온전히 날 위한 시간으로 사용할 수 있게 되었다. 결국 내가 원했던 나의 파리 유학은 생각보다 학비도 저렴하고 숙식은 자동 해결되었다. 물론 수업도 불어가 아닌 게 얼마나 다행인가. 여러모로 파리가 아니게 감사했다.

깊은 밤에도 나에게 몰두할 핑계가 생겨서 좋았다. 흐드러지게 피어난 꽃들을 보면 가슴 설레는 황홀함을 그리고 싶었다. 예쁜 꽃들을 원 없이 그리고 싶었다. 욕심과는 거리가 멀었지만 그래도 하고 있다는 것만으로도 행복했다. 작품 만족도는 높았다. 처음부터 재주가 없음을 정확히 알고 있었기에 형태가 갖추어져 가면 너무너무 좋았다. 선생님은 "잘한다. 잘한다. 추임새를 넣으며 소심한 나를 응원해 주신다.

아크릴화만 그리지 않고 여러 재료를 사용하며 수업을 진행한다. 그중 레진은 가장 매력적이다. 선생님의 작업을 가까이에서 볼 수 있다는 게 가장 좋고 맘에 든다. 나는 속도가 느리고 옆에서 오랜 시간 지켜보며 습득하는 스타일이다. 선생님이 작품을 준비해서 전시하는 과정도, 작품이 판매된 기쁨도, 강의 진행도 다 옆에서 함께 할 수 있어 좋다. 선생님이 바라보고 나아가는 길은 당당하고 거침이 없다.

나도 시간이 걸리고 더디 가더라도 그 길을 갈 수 있을 것 같아 꿈을 꿔 본다. 아무나 갈 수 있는 길이 아니라고 현실 인식을 하면 풀이 죽는다. 풍선에 바람이 빵빵하게 불어넣었다가 피식 다시 바람이 빠지기를 여러 번 반복한다. 욕심부릴 일이 아니라며 부푼 가슴을 진정시킨다. 뱁새가 황새 따라가다 가지랑이 찢어진다는 속담이 떠오르는 건 뭐람.

선생님의 여러 도움으로 작은 공간에서 개인전을 했다. 늘 마음 쓰이는 막내딸의 전시를 보러 전주에서 부모님이 오셨다. 온 가족이 전시장에 모여 그동안 나의 노고에 응원해 주었다. 아빠는 한 자리에 모두 모여 화목한 시간을 보낼 수 있어 감사하다고 하신다. 남편은 혼자 외롭게 보낸 시간이 생각난다며 몸서리친다. 작은 시작이 굵은 마디를 만들었다. 뿌듯함으로 보답했다. 파랑새는 집에 있었다지? 나의 파리 유학은 집 옆에 그렇게 있었다.

이 태 영   개 인 전

NEW BORN

2022.10.1~10.31

갤러리EAC 서울 관악구 낙성대역 16길 13

선택

요즘 유행하는 바퀴벌레 이야기를 아시나요?

내가 가장 싫어하고 혐오하는 게 바퀴벌레라고 했을 때 자고 일어나니 사랑하는 사람이 바퀴벌레로 변해있다. 다시는 사랑하는 사람으로 변하지 않는단다. 그럼 어떻게 하겠는가가 관심인 것이다. 사랑하는 사람인 걸 아는지라 죽이진 못하고 문 열어 쫓아낸다. 다시는 사람으로 돌아오지 못하니 그냥 끔찍한 바퀴벌레를 죽일 수밖에 없다. 이런 일어나지도 않을 것을 고민하고 생각하는 자체를 하지 않는다. 아이들이 일어나기 전에 후딱 죽인다. 등등 어떤 선택을 하는지 이유가 뭔지를 듣다 보면 그 사람의 성향도 엿볼 수 있어 재미있다. 어떤 선택의 순간 모르고 있던 자신의 성향이 강하게 묻어난다. 특별한 색을 드러내지 않는 무채색인 내 성향도 생각해 보면 같은 상황에서 계속해서 비슷한 선택을 하고 있음을 알게 되었다.

 학창 시절 과외받던 학생이 뜬금없이 정상이 아닌 아기를 임신하면 알면서도 낳을 거냐는 질문을 했다. 그 아기가 세상에 태어나 힘들게 살 수밖에 없음을 알면서도 낳으면 그게 축복인지 불행인지 모르겠다고 했다. 나의 답은 낳는 다였다. 세상의 빛을 보지도 못하는 게 복은 아닐 거란 생각에서였다. 태어나 힘든 시간일 수 있겠지만 선택을 아이에게 주고 싶었다. 불행할 거란 판단으로 아이에게 아무런 결제권도 없이 세상에 태어나지도 못하게 할 권한이 나에겐 없다고 생각해서였다.

 철없던 시절 심심풀이 수업 중간에 쉬어가는 의미 없

는 농담거리가 실제로 나에게 왔다. 첫째 임신하고 기영아 검사에서 다운증후군 수치가 나이에 비해 높게 나왔다. (27세) 다니던 병원에서는 서울 큰 병원에서 다시 검사해 보라고 했다.

다운증후군 기영아 검사는 양수를 주삿바늘로 뽑아 10개 정도를 배양시켜 정상인지를 확률적으로 확인하는 검사를 시행하는 거였다. 그런데 바늘을 통해 양수를 빼내는 과정에서 감염될 확률도 있다는 것이다. 검사 전 인지했음을 서명하고 검사를 한다고 했다. 머리가 하얗게 됐다. 정상인데 검사로 인해 아이를 위험하게 할 수도 있다는 말이다. 더 생각하고 결정하겠다고 진료실을 나왔다. 계속 시간을 끌고 울고 있을 수는 없었다.

검사를 하고 집으로 돌아왔다. 결과는 알 수 없음으로 나왔다. 배양이 되지 않아 확률적으로 정상이라고도 말할 수 없다 했다. 그렇게 5달을 울며불며 가슴 졸이며 큰 딸을 낳았다. 출산의 아픔은 생각할 틈도 없었다. 아이의 손가락 10개는 있는지가 더 중요했다. 감사하게도 딸은 아주 건강하게 잘 자라주고 있다.

둘째 아들의 임신과 출산은 한결 수월했다. 출산의 고통도 심하지 않았고, 시간도 오래 걸리지 않고 말 그대로 순산했다. 아이는 순하고 너무도 잘생겼다. 그런데 100일이 지나도 몸을 뒤집질 못했다. 늦는 아이들도 있다고 괜찮다고들 했다. 기는 것도, 보행기에서 움직이는 것도 하지 못했다. 혼자 앉지 못했다. 돌이 지나서도 누워서만 지냈다.

소아과에서는 아이의 반응도 좋고 별다른 의심 사항이 없으니 유독 늦는 경우일 수 있다고 했다. 친정엄마는 시간이 날 때마다 아이를 앉혀놓고 무게 중심을 잡게 했다. 쓰러지면 받아주고 다시 중심을 잡는 시간을 늘려나가면서 훈련시켜 주셨다. 덕분에 아이는 앉혀주면 혼자 엉덩이로 움직이며 돌아다닐 수 있었다. 다행히 남자라 소변보는 것도 앉아서 혼자 할 수 있게 되었다. 그래서 아들은 늘 내복 바람이었다. 고무줄이 늘어난

바지래야 겨우 혼자 당겨 소변을 해결할 수 있기 때문이다. 아들은 서울의 큰 병원은 다 돌아다니며 검사하고 결국 근육병 진단을 받았다. 그렇게 출산은 수월했지만 26년을 맘속으로 울었다. (아들이 없는 지금은 소리 내서 운다.)

셋째의 출산은 더 복잡했다. 임신 사실을 안 순간부터 선택의 기로에 선 것이다. 심하게는 25% 장애 확률을 말하는 의사도 있었다. 그래도 낳는다였다. 아주 예쁘고 건강한 딸이다. 알면서도 같은 선택을 한다.

아들을 키우며 난 집에서 5분 거리를 벗어나지 않았다. 언제든 부르면 달려가야 했고 최장 1~2시간 이내에 체위를 바꿔 주어야 했다. 밤에 잠잘 때도 수시로 돌려줘야 했다. 내 시간을 편하게 쓰지 못하였다. 내 몸은 널 위해 있다는 생각으로 욕심부리지 않았다. 그런 각오가 아니면 자꾸 짜증이 올라오고 우울해지기 쉽다. 내 감정에 말리면 아이가 느낄 것 같아 그것도 힘들었다. 나의 즐거움보다 아이를 위한 선택들을 우선으로 했다. 그렇게 내가 고개를 들 때마다 먼저 싹둑 자르고 만족한다. 행복하다 우겨댔다. 내가 아들이고 아들이 나였으니까. 날 잘 키우는 게 나의 숙제임을 안다.

그런데 또 내 발목을 묶어놓는 선택을 했다. 막내 사업을 도와주기로 한 것이다. 시작한 지 얼마 되지 않는 그림에 빠져들지 못하고 있다. 시간을 자유롭게 쓰고 싶은 갈망은 해보지도 못하고 다시 딸을 위해 미뤄졌다. 물론 아들 상황과는 비교할 수 없이 부담 없고 자유롭긴 하다.

사랑하는 사람이 바퀴벌레로 변하면 난 어떻게 하겠냐구?
사랑하는 사람인 걸 인지하고 있는 상황이면 난 죽이거나 쫓아내지 못하고 잘 키울 것이다. 방도 꾸며주고, 목욕도 씻기고, 알뜰살뜰 보살펴 주며 함께한다. 이것이 내 선택이다. 그냥 나에게 오면 다 받아들인다. 어쩔 수 없는, 내가 정하거나 피할 수 없으면 그냥 다 받아들인다. 그리고 그 상황에서 최선을 다한다. 기쁨도 행복도 다 그 안에 있음을 안다. 안될 땐 핑계를 대기도 하며, 힘들 땐 감사하다, 행복하다며 심리 조절로 날 속여 보기도 한다. 밤새 소리 없이 울며 베개를 적시기도 한다. 어떤 선택이든 정답은 없다. 그냥 최선을 다하는 것만 있을 뿐이다.

바퀴벌레 아들이든 바퀴벌레 딸이든 바퀴벌레 남편이든 부모님이든 상관없다. 처음엔 하늘이 무너지게 낙심되고 힘들겠지만, 또 그 상황에서 기쁨도 감사함도 발견할 것이다.

투자의 고수

"아직 셀리버리 가지고 있어요?"

"아뇨. 진작 손해 보고 팔았죠. 지금도 있어요? 얼마 전 거래정지 되지 않았나요?"

"물을 타서 올라오면 다 팔 생각이었는데 한 번도 안 오르고 바로 거래정지 됐어요."

카페 사장님은 재작년에 크리스마스 선물이라며 주식 종목을 알려 주었다. 사장님과 친한 단골손님 중에는 원래 주식 투자를 하고 있었고 미국 주식도 투자해서 수익을 많이 보는 분들이 있었다. 처음 매수하고는 정말 많이 상승했다. 상한가로 마감하는 날도 있을 정도로 수급이 무섭게 몰렸다. 코로나로 바이오 주들이 엄청 뜨거울 시기였고 셀리버리는 코로나 신약 개발주였다. 그런데 바이오주들의 열기가 식기 시작하자 무섭게 떨어졌다. 손해가 커지고 올라갈 호재도 없었다. 점점 코로나도 잠잠해지고 리 오프닝 주식들이 희망적으로 수급이 바뀌어갔다. 셀리버리는 조금 올라오면 다시 더 빠지고, 기다리면 오를 거란 희망 고문은 계속되었었다. 더는 안 되겠다 싶어 손해 보고 다 팔았다.

사장님은 주식 리딩방에 회비를 내고 주식 투자를 해서 단타로 수익을 많이 보고 있었다. 코로나로 카페 손님이 줄어 매출이 나오지 않을 때에도 주식으로 큰 수익을 올리고 있었다. 그래서 직접 물어보지는 않았지만, 적당히 손해 보고 아니면 수익권에서 잘 정리했을 거라 생각했다. 주식이 잘 될 때는 카페를 정리하고 번 돈을 조금 쓰면서 즐기고 싶어 부동산에 내놓았다. 이젠 돈이 묶여 맘먹고 카페 운영할 생각이 든다고 한다. 사람 마음이 참 간사하다.

사장님은 내가 셀리버리로 맘이 상해 카페에 오지 않는 건 아닌지 걱정이 됐었다며 마음이 한결 놓여 다행스러워했다. 나뿐만 아니라 카페 단골들 친한 친구에게도 권해서 산 사람들이 많았는데 그들의 손실도 도의적 책임감에 맘이 무겁다 했다. 살이 많이 빠져 보이고 안색이 좋지 않아 얼마나 맘고생이 심한지 알 수 있었다. 뭐라 위로할 수도 없었다.

처음 동네에 새롭게 카페가 오픈해서 참 좋았다. 내 취향에 맞게 싱그런 식물들로 가득 채우고 꽃들이 호객 행위를 했다. 오드리 헵번을 닮은 사장님은 앳지 있고 멋졌다. 내가 뉴타운에 막 투자했을 때 사장님은 그곳을 팔고 우리 동네 빌라를 사서 실거주로 들어온 사실을 알고 더욱 끌렸다.

내 주위엔 투자에 관심 있는 엄마들이 없었다. 사장님을 통해 어디에 투자했는지, 어떻게 알고 투자하는지, 어떻게 임장을 다니는 지도 들을 수 있었다. 재개발 투자도, 오피스텔 투자도 심지어 지분투자도 하고 있었다. 한 번은 지분투자로 땅을 조금씩 산다는 말에 자세한 설명을 부탁했더니 설명이 힘들다며 믿고 투자하는 회사에 가서 설명을 들으라고 데려가 주었다. 선릉역에 있는 번듯한 건물에 자리하고 있는 회사에서 만난 높은 분의 설명은 어설펐다. 그린벨트인 땅이 곧 풀려 개발되면 땅값이 엄청 오를 거라고, 돈을 많이 벌게 되니 우리 회사만 믿고 투자하라는 희망 투자를 권하고 있었다.

집에 돌아와 유튜브로 지분투자를 검색해 보니 아마도 기획부동산 같았다. 투자에 대해서는 나보다 사장님이 선수급이라 내가 이렇다 저렇다 의심의 말을 할 수는 없었다.

16년 겨울. 남편의 은퇴를 7-8년 앞두고 어딘가에 투자라도 해서 월세를 받으면 좋겠다고 생각했다. 과 선배님이 강남에서 부동산을 하고 있더란 소식을 들은 남편은 우리의 사정을 말하고 월세 받을 건물을 소개해 달라 부탁했다. 다산 신도시 분양하는 상가 건물을 보고 오자고 했다. 가보니 다 상가를 새로 올리고 있었고 분양하는 높은 건물 1층 유리엔 임대 문의가 붙어있었다. 호객행위를 하는 남자분들도 여럿 보였다. 일명 떴다방인 듯했다. 보여준 상가는 필라테스 사무실로 벌써 3년 임대가 나가서 공실 걱정이 없다며 안심하고 투자해도 된다고 권했다. 건물비와 임대료를 계산하면 대출받고 이자 내도 돈이 많이 남았다. 이렇게 쉽게 남는 장사를 안 할 이유도 없다 생각되었다. 그럼 대출을 무리하게 당겨 2개를 매수하면 월 100만 원 수익은 되겠구나 하는 겁 없는 상상을 했다.

노후 준비가 생각보다 쉽게 느껴졌다. 집에 돌아와 들뜬 기분을 진정시키고 퇴직 후 투자하면 망한다는 말은 도대체 뭘까? 괜히 겁주는 말은 아닐 텐데 말이다. 겁이 났다. 어쩌지? 투자는 하나도 모르는데. 계약금을 넣으라는 선배의 문자가 왔다. 누군가의 조언이 간절히 필요했다. 유튜브에 물어보면 다 알 수 있다는 말이 생각났다. "다산 신도시 상가 투자" 오~ 똑똑해 똑똑해. 많은 전문가들이 한결같이 입주 물량이 많은 지역은 위험하다고 했다. 투자는 신중히 결정은 빠르게.
그 후에도 성남 모란시장 신축건물에 10년 병원 임대가 맞춰진 상가를 권해주었다. 또 성남 구도심에 불법 쪼개기 원룸 건물을 권하기도 했다. 공부가 되어있지 않은 상태에서 어설픈 투자를 하는 건 아니라는 결정을 내렸다. 그 후 선배에겐 형편이 안 돼 상가 투자는 접는 걸로 말해 두었다. 나의 어설픈 상가 투자는 아는 것도 준비된 것도 없이 유튜브 덕분에 내 욕심을 바로 볼 수 있었다. 덕분에 잘 마무리되었다. 그래도 상가 공부는 어설프게라도 나에게 남았다. 이젠 투자는 신중히라는 말을 실감한다.

 난 내공이 없어 상가나 건물은 됐고 아파트면 족했다. 17년 겨울 부모님이 서울 집을 팔고 싶어 하셔서 부동산에 내놓아 드렸지만 1층이라 나가질 않았다. 조금만 더 지나면 부동산 가격이 오를 텐데 딱히 돈이 필요하지도 않으시면서 팔기를 고집하셨다. 나는 분당도 가보고, 숙대 근처도 가보고, 청파동도 가보고 유튜브에서 호재가 있다는 지역을 돌아다녀 보던 중이었다. 투자에 관심 없는 남편은 내가 뭔가를 결정하고 투자해서 걱정 없는 편한 노후를 기대하는 것 같았다. 아무리 돌아다녀도 뭘 모르는 우리는 정하지 못하고 힘이 빠져갔다. 이러다 투자를 포기하겠구나 싶어서 아빠집을 우선 사기로 했다. 19년도 겨울엔 재개발 아파트로 옮겨 탔다. 2년 실거주 요건 때문에 실거주하고 있다. 37년 묵은 오래된 아파트라 녹물도 심하고, 중앙난방에다가 주차난이 심각하다. 밤에 주차장을 내려다보면 테트리스가 생각난다. 실로 몸테크 중이다.

투자를 모르면 몸이 고생이다. 잃지 않고 지키는 게 투자의 성공 비법이다.

나의 파라다이스

"대문에 장미 넝쿨이 우거져있고, 마당엔 꽃들로 가득한 집이 있으면 우선 내 집인가 확인해 봐. 아마도 그집 여주인은 곱디고운 한복을 입고 우아한 성품의 여인으로, 삶의 여유를, 꽃들의 아름다움을 누리며 책을 읽고 있을 거야. 아니면 굵은 손가락에 옥반지를 끼고 글을 쓰고 있을지도 모르지. 생긴 것과는 다르게 정말 우아하게 그렇게 삶을 누리는 날 만날 수 있을 거야."

지내다 어느 날 소식이 소원해져 연락이 끊기면, 혹은 여행길 무심히 지나치던 길가에서 장미 넝쿨이 있는 집이 보이면 나의 집일 확률이 높으니 날 찾아 달라 당부하곤 했었다.

지금처럼 카톡이 있어 연락두절하고 싶어도 힘든 시대가 올 줄은 상상도 못 했으니 그저 연락이 안 되더라도 해마다 아름답게 피어나는 꽃들을 보면 날 떠올려 달라는 당부이기도 했다.

 아빠는 꽃을 좋아하셨다. 어릴 적엔 마당이 넓은 집에 살았다. 집 건물을 중심으로 왼쪽으로는 넓은 마당이 있고 뒤쪽으로는 텃밭, 앞쪽으로는 꽃밭.

왼쪽 마당 끝에는 화장실이 있었다. 화장실은 포도 넝쿨 끝에 있다. 굵은 쇠 파이프를 양쪽에 10개씩 박아 포도나무를 심어 넝쿨지게 하셨다.

어린 나는 쇠 파이프를 타고 올라 포도를 따 먹었다. 언니는 지나가며 그냥 따 먹을 수 있었다. 화장실 문 앞쪽의 포도는 알이 작았고 가장 늦게 익었다. 나중에 안 사실이지만 그건 청포도였다. 그러니 아무리 기다려도 익지를 않지. 설탕 포도도 키우셨다. 포도가 무르익으면 수확해서 포도주를 담그셨다. 해마다 포도를 수확

하여 넘치도록 먹었다. 포도나무 덩굴 덕분에 체육 시간에 매달려 오르기를 잘했다.

포도가 익어 가면 좋은데 무서운 게 도사리고 있었다. 손가락만 한 푸른 포도나무 애벌레가 많았다. 아빠는 가족이 먹는 거라 최소한의 약만 하셔서 애벌레가 더 많았을 거다.

통통하게 살찐 애벌레는 처음 눈이 마주치면 소리를 지를 만큼 징그럽다. 이왕 놀란 가슴을 진정시키고 자세히 바라보면 그 푸른빛은 너무 아름답다. 청개구리의 푸른빛. 옥반지의 영롱한 푸른빛.

마디마디 통통한 몸엔 검정 점들이 마치 눈처럼 박혀있다. 한참을 바라본다. 예쁘다. 지나가는데 시간이 오래 걸린다. 어떨 땐 나뭇가지에 올려 포도나무 잎에 옮겨주기도 한다.

자세히 기억나진 않지만, 포도나무 애벌레가 엄청나게 큰 나비가 되는 걸 보았다. 어린 나에겐 감당하기 버거울 만큼 경이롭고 신비로웠다. 애벌레의 크기만큼이나 나비도 크고 예뻤다.

포도나무 넝쿨 밑에는 구멍이 3개 뚫린 벽돌로 화단을 마무리해서 색색이 아름다운 채송화를 심으셨다. 화장실 옆으로 닭장이 있었고 담벼락 밑에 무화과나무가 크게 자리 잡고 있었다. 화장실에서 나오면 무화과가 벌어져 먹음직스러운 빨간 속살이 보이는 걸 유심히 찾았다.

화단에는 많은 종류의 꽃나무와 12가지가 넘는 과일나무가 종류별로 많았다. 장미 나무가 색색이 많았다. 그중 향이 은은하고 핑크색이 화사한 장미는 단연 으뜸이다. 보라색 밥풀때기 나무, 석류나무, 도라지꽃, 팬지꽃, 패랭이꽃, 무궁화꽃, 능소화, 다알리아, 국화, 엄마가 좋아하시는 철쭉꽃, 석광, 피튜니아, 튤립 등 화사한 꽃들은 제 계절에 맞춰 피고 지며 마당을 가득 수놓았다.

복숭아나무, 포도나무, 살구나무, 감나무, 대추나무, 앵두나무, 무화과, 수박, 토마토, 참외, 석류, 딸기 등 과일이 익는 걸 기다리는 것도 좋았다. 뒤 텃밭엔 배추, 무, 파 등을 심으셔서 김장하셨다. 아빠는 뒤 텃밭에 물을

주시고 출근하셨다. 가지며 오이 참외 딸기 등은 놀다
가도 배고프면 밭에 들어가 익은 것을 따 먹는 재미가
있었다. 먼저 먹는 사람이 임자다.

우리 집을 과수원인 줄 알았다는 사람도 있었다. 어릴
적 내 집은 굉장히 크고 넓었다. 언니가 고등학교에 진
학할 때 부모님은 교육을 위해 집을 팔고 전주로 이사
하셨다. 전주로 이사하고도 나는 그 집을 잊지 못했고
친구와 함께 나의 궁전 같은 집을 찾아갔었다. 넓고 화
려했던 마당엔 고물들이 가득 놓여있었다. 아마도 새
주인은 고물상이었나 보다. 친구에게도 민망할 정도로
집도 초라하게 작았다.

내 기억 속의 아름다운 집은 그렇게 초라한 모습으로
변해있었고 나중엔 공공기관 건물로 바뀌었다. 어른이
되면 다시 그 집을 사고 싶다는 꿈도 꿀 수 없게 되었
다. 어릴 적 그 화사한 꽃들과 먹음직한 과일은 지금도
너무나 좋아한다. 멀리 여행을 떠나서도 밤에 숙소에서
과일을 챙겨 먹어야 한다. 꽃과 과일이 흐드러진 나의

어릴 적 파라다이스를 지금은 옹색하게나마 베란다에
옮겨 본다.

말하지 않아도 알아요.

"오늘 아빠랑 쇼핑 갈건대 함께 갈 사람?"

딸 둘의 반응은 시큰둥했지만 내 의중을 알았는지 귀찮
아하면서도 함께 가겠다고 따라와 주었다. 온 가족이
함께 외출을 나가는 것이다. 이게 말이 돼? 우린 외출
을 하려면 누군가는 집에 있어야 했다. 설날이나 추석
명절에도 온 가족이 움직일 수는 없었다. 집을 비우게
되면 2시간 이내로 돌아와야 했고, 나의 반경은 집에서
5분 거리쯤에 있어야 했다. 일명 응봉동 맴맴 이다. 남
들에게는 너무도 평범한 외출이 우리에겐 그렇게 쉬운
일이 아니었다.

딸들은 다 커버렸나 보다. 이것저것 필요한 것, 예쁜 것 사달라 조르지도 않는다. 큰딸은 직장인이 되어서 필요한 것은 직접 다 스스로 해결한다. 둘째 딸은 옷가게 사장이니 자기 옷을 팔 생각이 가득해서 옷을 사달라 하지도 않는다. 외출하면서부터 신상 올릴 생각에 챙기는 게 많아져 시간이 지연되고 우리를 기다리게 했다. 중간 중간 예쁜 곳에서 사진 찍기 바빴다. 딸들이 원하는 것이 있으면 기분 좋게 지갑을 열어 이것저것 무리가 되더라도 사주고 싶었다. 그런데 원하는 게 없어 보였고 자꾸 물으니 명품백이 필요하다고 웃는다. 그건 내 능력 밖이라 나도 그냥 함께 웃어 주기만 했다.

사람들은 엄청 많았다. 다들 어떤 목적으로 나왔는지 뭘 사는지 궁금했다. 쇼핑하면서 공연도 볼 수 있게 무대가 마련돼 있었다. 재즈 곡을 연주하고 있었고, 리듬을 타며 노래를 부르는 빨간 원피스의 가수는 분위기에 흠뻑 젖어 있었다. 나의 생활과는 거리가 멀고 낯설어서 그 자리를 서둘러 피했다.

아이들을 데리고 나온 젊은 부부들도 많았다. 저마다 깜찍하고 예쁘게 꾸며 나왔는지 자꾸 내 시선을 끄는 아이들이 많았다. 난 우리 애들을 예쁘게 꾸며주지 못하고 키운 게 아쉽기만 했다. 딸들을 키우면서도 옷을 사준 기억이 별로 없다. 둘째는 언니 친구들의 작아진 옷을 얻어 입혔다. 다들 풍족하게 입히고 부족함 없이 키우니 둘째의 옷은 항상 넘칠 정도로 많았다. 경제적으로 형편이 안 돼 그랬던 건 아니었다. 옷을 사러 나갈 수 있는 시간이 없었다. 새 옷을 입어 보지도 못하고 원하는 옷을 사달라고 떼쓰지도 않은 딸이 옷 장사한다. 옷보는 쎈스는 어떻게 생겼을까 의아하다.

요즘 핫 하다는 아이스크림도 아이들 사이에서 줄 서서 사 먹었다. 머리를 양 갈래로 땋은 똑같이 생긴 여자아이 3명이 아이스크림에 푹 빠져 있는 모습도 귀여워 웃음이 났다. 이젠 외출할 일이 전보다 많아질 거란 생각에 필요한 옷을 샀다. S사이즈는 조금 작은 듯하여 L사이즈로 구매했다. 조금 넉넉했지만 S사이즈가 없다고 하여 그냥 샀다. 전혀 인식하지 못했다. S사이즈 다음이 M사이즈임을. 사이즈 교환하러 가야 하는 불편함이 생겼다. 도대체 사이즈 옷은 언제 사본 거야?

급할 것도 없고 아무도 빨리 서두르지도 않았다. 일부러 최대한 천천히 둘러보고 있었다. 저녁밥도 먹었다. 아이들이 앞에 앉아 맛있게 먹는 모습을 보는 것도 즐거움이었다. 너무도 예쁘게 자란 딸들을 보며 으쓱 해졌다. '여러분~ 이 예쁜 딸들을 내가 낳았습니다. 엄마, 아빠를 똑 닮았지요?' 혼자 생각하며 웃음이 났다.

밤이 깊어지고 집에 돌아올 때 남편은 "이렇게 우리가 밥까지 먹고 집에 가는 일이 있네" 하며 더 이상 말을 잇지 못했다. 차 안은 너무 조용하고 못내 아무렇지 않은 듯 각자의 감정을 드러내지 않았다. 캄캄한 밤하늘의 불빛이 흐릿해졌다. 눈물이 소리 없이 흐르고 불빛은 더욱 아련해졌다. 아들이, 동생이, 오빠가 함께 있지 않은 현실을 묵묵히 받아들여야 했다. 말하지 않아도 모두 같은 마음이었다. 그렇게 서로에게 힘이 되어주며 버티고 있었다. 아들이 없는 8개월 만의 첫 외출은 그렇게 잘 마무리했다.

 설이 지나 남편과 함께 아들을 보러 갔었다. 평소에
좋아하던 초코 우유와 바나나 우유를 들고 가서는 그대
로 두고 왔었다. 둘째 딸은 우리가 다녀온 이후에 오빠
에게 가서 유효기간이 지난 초코 우유를 치우고, 새로
사간 초코 우유와 좋아하던 과자를 대신 두고 왔다고
했다.
"엄마, 또 울어?"
"나도 사실 울다가 왔어."

열정페이 퇴직당한다.

 남자 셋만 모여도 군대 애기로 밤을 새울 만큼 할 애기가 많고 여자 둘만 만나도 출산 애기는 끝날 줄을 모른다. 그만큼 각자의 상황이 특별한 경험이라 시간이 아무리 흘러도 퇴색하지 않고 생생하다.

 아이 셋을 출산하였지만 가족 계획 같은 건 없었다. 과 커플인 우린 졸업 후 취업에 성공하고 바로 결혼했다. 결혼까지는 계획이 있었지만, 자녀를 낳는다, 안 낳는다. 몇 명을 낳는다는 생각은 전혀 없었다. 결혼하면 직장을 다니지 못할 거란 생각에 과외만 하다 결혼 후 그만두었다. 꿈도 없고 철도 없는 한심하고 겁 없는 소녀였다. 시누이는 조심스레 물었다. " 가족 계획 하는 거야? 엄마가 왜 애가 안 생기냐고 걱정하더라." 머리가 갑자기 띵해졌다. 아아, 결혼을 했으니 아이를 낳아야 하는 거구나.

 아이에 대한 인식을 하고 길게 맘고생을 하며 기다리진 않았다. 그렇게 그냥 순조롭게 우리에게 와주었다. 그러나 임신 5개월부터 출산까지 두려움에 눈물을 흘리게 했다. 둘째는 임신기간만 가장 편안하고 걱정이 없었다. 셋째는 임신이란 사실을 인지하는 순간부터 턱하는 두려움이 있었다.

 아이 셋을 그렇게 유별나게 낳았으니 직장생활을 한다는 건 애초에 꿈도 꿀 수 없었던 이유가 있었던 거다. 우주의 큰 그림 같은, 나만 모르는 조각들이 착착 맞춰지고 있었던 것인지도 모르겠다. 아무 재주도 특별함도 없고, 활동력도 없는 내가 장애아들을 키우기에 적격이었던 것이다. 가만히 한 자리에서 처리하는 일을 나갔다 들어 왔다 움직이는 일보다 난 더 좋아한다. 예를 들면 양파 까기, 마늘 까기, 파 다듬기, 밤 까기 등 움직이지 않고 엉덩이 깔고 단순 반복 작업이 왔다 갔다, 일어났다 앉았다 하는 일보다 좋다. 내가 전문직을 하고 있었다면 아들을 어쩔 수 없이 다른 사람에게 맡길 수 있었을까?

아들을 키우기엔 나만큼 적합한 사람도 없을 것이다. 특별한 재능이 없으니 뭔가 하겠다고 사회로 나갈 일도 없고 참아내야 할 뜨거운 열정도 없으니 말이다.
묻지도 따지지도 않고 아들을 키울 수 있음에 감사했다. 내 존재 이유로 순종하며 받아들였다. 억울해하지 않았다. 부모를 모시느냐 마느냐는 선택이지만 자식은 선택이 아니다. 그렇게 열정페이가 시작되었다. 셋째를 출산하고 한 달도 안 되는 짧은 몸조리만 하고는 아들을 업고 복지관에 물리치료를 하러 다녔다.

자식 키우며 공이 어디 있겠는가. 한없이 부족하기만 하고 더 해주지 못한 아쉬움만 크다. 올 때도 갈 때도 나의 의사는 안중에도 없고 선택의 기회도 주지 않았다.

아무런 경고도 예고도 없이 한순간에 퇴직당했다. 아메리칸 스타일인가? 내 눈앞에서 허망하게 갔다. 아니 사실 어디로 갔는지 모른다. 연기처럼 사라졌다는 건 이런 건가? 인제 그만 하란 뜻이다. 그동안 잘했다, 수고했다, 많이 부족하다 등 어떤 평가도 칭찬도 질책도 없이 그냥 나의 천직이 끝났다.

 원해서 시작한 건 아니지만 나에게 주어진 큰 사명이라 생각하고 죽을 때까지 하고 싶었다. 죽은 후에 살아갈 아들을 준비시켜주고 싶었다. 그런데 강제 퇴직을 당하다니. 이유도 없이. 부당하다. 노동청에 부당 해고를 신고할 수도 없고 이 억울함을 누구에게 물어야 하나? 내 탓인가? 내 맡은 바 일을 잘 감당하지 못했나? 갈 때는 고통 없이 떠나길 소원한 걸 들어줬으니 감사해야 하나? 누굴 상대로 묻고 따져야 하는지를 몰라 더 답답하다. 아무런 말도 하지 못하고 입을 힘껏 물고 큰 숨을 들이마신다. 흐르는 눈물을 어찌할 수 없다. 25년 열정페이는 강제 퇴직당하였다. 그래도 행복한 시간이었음에 감사한다.

3부 함께한 행복한 인연

슬리퍼형

아들이 중학교 2학년 때 척추 수술을 했다.

한참 성장하면서 척추가 많이 휘게 되었고 폐 공간을 확보하기 위해서도 어쩔 수 없이 시급하게 결단해야 하는 수술이었다. 그나마 조금이라도 버틸 수 있는 체력이 있을 때나 할 수 있다고 했다. 경추부터 요추까지 2개의 쇠(철근?)로 지지해 주는 큰 수술을 했다. 아들은 상상도 안 될 만큼 잘 견디고 이겨냈다.

어떻게든 유지하던 학교생활은 고1까지였다. 그 후로는 집에서 컴퓨터로 수업을 듣게 되었다. 무료한 하루하루를 보내고 있었다. 그때 교회를 통해 학업에 도움을 받을 수 있도록 봉사자를 구하게 되었다.

40대 중반의 방 선생님은 국어를 맡아 주셨다. 선생님은 아들과 일 년 차이가 나는 미대 지망생인 딸이 봉사하러 와도 되겠냐며 조심히 의중을 물어왔다. 아들은 같은 나이의 누나가 있어서 그리 반감이 없었다. 국어 선생님은 과외 수업까지 조절하며 1년이 넘게 와주셨고, 딸은 재수하면서도 아들과 함께하는 미술 수업을 빼먹지 않고 와주었다. 심지어 아빠가 은퇴하시고는 봉사하는 딸을 데려다주고 끝날 때까지 기다렸다가 함께 가는 수고를 매주 해주셨다.

외대 영문과에 다니는 작고 왜소한 형은 성격이 활달해서 아들과 금방 친해졌다. 형은 일주일에 2번 영어를 가르쳐 주었다. 형은 또 사학과 친구를 데려와 역사를 맡겼다. 아들이 혼자 있는 시간을 줄여주고 싶었던 거다. 사학과 형은 군대 갈 때까지 아들의 친구가 되어주었다. (예쁜 여자 연예인의 오빠였다.)

영문과 다니는 형은 집이 지방이라 과외를 하며 생활비

를 충당해야 해서 늘 바쁘고 공부에 할애할 시간이 늘 부족했다. 그럼에도 무료로 봉사하러 와 주는 게 죄송해서 큰딸의 영어 과외를 부탁드렸다. 수업이 끝나면 아들과 함께 시간을 보내 주었다. 둘의 관심사는 게임이다.

형은 귀가한 뒤에도 아들과 게임을 함께하고 수시로 연락했다.

남편이 집에 돌아와 현관에 모르는 슬리퍼를 보고 누가 왔냐고 물었다. 영어 형이 수업 중이었다. 그날 이후 형은 일명 슬리퍼형으로 통했다. 아들은 사실 혼자 컴퓨터 앞에 앉아 사용할 수 있는 시간이 길지 않다. 좌식 의자에 앉혀 허리밴드 2개를 이어 붙인 끈으로 등받이에 묶여 앉아있는 것이다. 그래서 최대 2시간이 한계이며 다시 침대에 누워 쉬어야만 한다.

그렇게라도 지내기만 해도 황송 감사한 상태다. 약간만 방심해도 체력이 떨어져 꼼짝없이 누워 숨만 쉬는 상태로 10일 이상씩 가기도 한다. 그런 몸으로 게임에 에너지를 쓰는 게 엄마 입장에선 좋을 수가 없었다.

한 번은 속상해하는 나에게 슬리퍼형이 수업이 끝나고 상담을 요청해 왔다.

아들이 많이 힘들어한다고 말해 주었다. 상태가 심각했다. 죽고 싶다는 말도 많이 하고 있다고도 전해 주었다. 아들은 나에겐 늘 긍정적이고 밝은 모습을 보여줬다. 가족들이 힘들어할까 봐 많이 노력했을 것이다.

형은 아들이 다섯 손가락도 다 사용하지 못하고 힘도 없으면서 게임을 하는 게 신기하다고 했다. 이런 몸으로 게임랭킹 상위 10%면 세상에 이런 일이에 나올 정도라고 했다. 게임을 너무 나쁜 거라고 생각하지 말고, 그래도 잘하는 게임이 있어서 다행이라고 생각하는 게 좋지 않겠느냐고 말해 주었다.

아들은 게임을 하면서 자신이 할 수 있는 미래의 길의 찾기 시작했다. 건강을 신경 쓰면서 체력을 분배하여 시간을 게임에 사용했다.

아들은 고양이를 키우고 싶다고 했다. 슬리퍼 형아가 키우는 고양이가 너무 귀엽다며 고양이를 키우게 해달라고 졸랐다. 슬리퍼 형아는 사람과 관계성이 좋다는 샴 고양이를 직접 가서 입양해 오셨다. 탈장이 있는 수 컷 고양이였다. 그렇게 하루는 우리 집에 왔고 아들에게 많은 기쁨을 주었다.

슬리퍼형은 대학을 졸업하고 게임 쪽으로 직장을 구하고 싶어 했다. 그러나 부모님의 반대로 법을 전공해서 게임회사에 취직하기로 진로가 정해졌다. 형은 법 공부를 했고 부산에서 변호사로 취직했다. 게임을 잘하는 여자를 만나고 싶다고 했는데 진짜 게임도 잘하는 법대 여자 친구가 생겼다.

슬리퍼형의 봉사는 마무리했지만, 퇴근길에도 통화하고 기쁠 때, 심심할 때, 멀리서도 늘 함께해 준 고마운 인연이다.

따뜻한 봄날에 청첩장이 오길 기다리고 있다

능소화,판넬 위 아크릴과 혼합재료, 2022

활동 보조 선생님

"남자 활동 보조인을 신청하고 싶습니다."

"남자분을 원하시면 많이 기다려야 할 텐데 그래도 괜찮은가요?"

젊은 남자 활동 보조는 방학 때 잠깐씩만 알바로 하는 경우가 많다고 했다. 잠깐하고 바뀌는 걸 원치 않았다. 오랫동안 아들과 관계를 맺을 수 있는 사람을 원했다. 여자 활동 보조사는 아들도 나도 원하지 않았다. 아들도 나와 있는 게 편했고, 나도 아들과 함께 있는 게 안심이 되었다. 다른 사람의 도움을 받으면 내 시간을 쓸 수 있겠지만 아들은 불편해도 도와 달라고도 안 할 게 뻔했다.

힘들어도 내가 할 수 있었지만 젊은 남자 활동 보조를 원한 것은 함께 생각을 나눌 친구를 만들어 주고 싶었던 것이다. 셋째를 임신했다는 걸 알았을 때도 아들이면 좋겠다고 생각했다. 딸보다는 아들끼리 서로 사춘기도 보내고, 친구처럼 성장하면 든든하리라 생각했다. 그러나 셋째는 딸이다. 아들은 몸은 불편했지만, 머리는 영리하고 속이 깊었다. 그래서 다른 또래 친구들처럼 학원도 보냈다. 영어학원 셔틀이 오면 아이를 앉히고 접이식 휠체어를 접어 실어 올렸다. 학원에 도착하면 휠체어를 내리고 아들을 내려 앉혔고 수업이 끝날 때까지 기다렸다 데려왔다.

남자 장애인 활동 보조가 구해질 거라고 쉽게 기대는 하지 않았지만 그래도 접수는 하고 기다리고 싶었다. 그런데 생각과는 다르게 너무도 빨리 좋은 소식이 왔다. 선생님은 무료 자원봉사를 신청하러 장애인 복지센터에 접수하셨는데 활동 보조를 원하는 우리와 연결이 된 거였다.

어쩜 젊은 사람이 생각도 그렇게 아름다울까. 놀라움과

동시에 감사했다. 선생님은 아들과 함께 학원을 다니셨고 끝나면 집에서 식사도 함께하고 가셨다. 아들은 몸이 왜소하고 식사량도 적었지만, 선생님이 맛있게 함께 식사를 해줘서 먹는 양이 많이 늘었다.

학교에서 스키장으로 체험학습을 갈 때도 함께 해 주셨다. 학교 선생님들은 누구인지 궁금해하시며 칭찬을 많이 하셨다. 아들을 안고 몇 번이고 스키를 태우러 올라갔다 내려갔다 열심이셨다고 전해주었다. 나중에 안 일이지만 선생님은 아들 말고도 다른 어르신 활동 보조도 하고 계셨다. 활동 보조하려면 무엇보다도 체력을 키우는데 신경을 써야 한다고 했다. 빌라에 사시는 어르신을 업고 외출을 도와 드릴 수 있으려면 운동을 게을리하면 안 된다고 했다.

선생님은 내가 원하고 상상했던 이상으로 아들에게 육체적, 정신적 도움이 되어 주셨다. 우리의 가족이 되어 주셨다. 아들에게 남동생이 생긴 것보다 형이 생겨 더욱 좋았다.

선생님은 군 입대를 하시면서 아들의 활동 보조 선생님을 구해주시고 입대하셨다. 교회 형제분을 연결해 주셔서 제대할 때까지 공백 없이 도움을 받았다. 휴가 때면 아들을 보러 와 주었고 제대 후 다시 활동 보조를 해주셨다. 아들이 대학에 입학해 교재가 나오면 그걸 전자책으로 만들어다 주셨다. 누워서 생활하는 아들이 종이책을 볼 수 없고 전자책만 읽을 수 있었기 때문이다.

아들은 선생님의 연애사도 모두 알고 있었다. 청춘을 아들과 함께하였으니 연애사도 다 알 수밖에 없었을 것이다. 결혼식에는 아들 대신 내가 다녀왔다. 사모님은 중국어를 전공하셔서 딸들을 가르쳐 주셨다. 참으로 신기하고 귀한 인연이다. 선생님은 세 아들의 아빠고 목사님이 되었다.

하나님은 감당할 수 있는 만큼만 시련을 주신다 했던가?

아니라고 아니라고 많이 부정하고 울었다. 나는 당신이 생각하는 것처럼 감당할 수 있는 사람이 아닙니다. 당신이 실수하신 겁니다. 믿음도 좋고 더 지혜롭고 현명한 사람도 많은데 왜 부족하고 능력 없는 저인가요? 늘 부족한 내가 아들에게도 미안했다. 원망한다는 것도 아들에겐 미안할 일이라 감사함으로 순응할 수밖에 없었다.

이런 나의 마음을 여러 도움의 손길로 함께해 주셨다. 아들은 참으로 복이 많다. 훌륭하고 지혜 많은 분들을 옆에 보내주셔서 외롭지 않고 힘들지 않게 하셨다. 천사를 보내 주셨다.

함께 꿈꾸는 아름다운 세상

"화장실도 멀고 시설이 갖춰져 있지 않아서 입학이 곤란합니다."

몸이 불편한 아이를 키우면서 예상하지 못했던 상황은 아니었다.

초등학교에 잘 적응할 수 있게 1년은 유치원에 보내고 싶었다. 아이는 혼자서는 아무것도 할 수 없고 누군가의 도움이 있어야 먹을 수도 움직일 수 있다. 뇌병변 1급 장애이다. 장애 시설에 보내면 될 일이지만 그럴 수 없었다.

신체장애가 있어서 받아 주는 유치원은 없었다. 다니던 교회 부설 유치원 원장님은 따로 담임선생님과 유치원에 금전적인 것을 요구하셨다. 억장이 무너졌다. 고마움을 표하는 것과 노골적 요구에 응하는 것은 다르다. 아이를 비겁한 거래의 대상으로 만들기 싫었다.

여러 유치원을 알아보던 중 장애인은 유치원 교육비가 전액 지원된다는 놀라운 사실을 알게 되었다. 보내고 싶어도 받아 주지도 않으면서 교육비 지원이라니. 더욱 화가 나고 놀림을 당하는 기분이었다.

교육비 지원 안 해줘도 되니 입학만 했으면 좋겠다.

화장실이 멀어서 안 되면 시설을 만들어 주고서라도 입학시키고 싶었다. 그래야 다음엔 화장실 핑계로 몸이 불편한 아이가 거절당하지 않을 것이다.

며칠을 울었다. 생각하고 또 생각하고 울었다. 아이를 또래 친구들과 함께 어울리게 하고 싶었다. 보내는 게 안 되면 내가 유아원을 차려서라도 아이들과 함께 어울리게 해주고 싶었다. 어떻게든 방법을 찾고 싶었다.

입학을 거절당해 속상하고 억울하면서도 유치원 원장님들의 입장을 이해 못 하는 것도 아니었다. 당연한 일이었을 것이다. 아이가 자기 몸을 가누지 못하니 천방지축 뛰어놀아야 하는 친구들과 함께 작은 공간에서 사고라도 나면 어쩌나 걱정됐을 것이다. 담임선생님이 돌봐야 하는 아이가 많은데 손이 많이 가는 아이를 맡으라고 할 수 없을 것이다. 또 학부모들의 불만도 생각하지 않을 수 없을 것이다. 심적으로는 허락하고 싶어도 그리 간단한 일은 아니었음을 이해한다.

그러던 중 어느 미술 학원에 들어가 원장 선생님께 아이의 상태를 상세히 설명 드리고 입학이 가능할지 여쭈었다. 대답은 간단하고 명료했다.

"그럴수록 더 보내야죠."

"네?"

"저희 아이 상태를 보시고 결정해 주셔도 됩니다."

"괜찮아요. 그럴수록 교육이 반드시 필요해요. 걱정하지 마시고 보내시면 됩니다. 따로 신경 쓰실 것도 없고 등원도 저희 차량이 갈 겁니다. 아침에 차량에 태워 주시고 하교 시에도 집 앞에서 기다려주시면 돼요."

원장 선생님은 나중에 심각한 아이의 상태를 보고도 전혀 놀라지 않으셨다. 후회나 망설임이 전혀 없으셨다. 그렇게 아이가 세상에 당당하게 나아갈 수 있도록 손을 잡아 주셨다.

아이가 미술 학원에 다닌다는 것을 안 주위 친구들은 모두 기뻐해 주었다. 원장 선생님이 미술 학회에서도 교육열이 뛰어나신 분이라고 전해 주는 친구도 있었다.

미술 학원에서의 생활은 기대 이상이었다.

아이의 장애가 전혀 문제시되지 않았고 선생님들의 돌봄도 세심했다. 부모들의 항의도, 친구들의 괴롭힘도 전혀 없었다. 모든 행사에 참여시켰다. 손이 많이 가고, 다칠까 걱정됐을 텐데도 배제란 없었다. 학예회 때에는 대표로 발표시키시기도 했다. 행사 때마다 아이의 행복한 모습을 사진에 담아 보내 주셨다.

원장님은 아이가 처음 세상 밖으로 나갈 때

두렵고 불안함을 따뜻한 사랑으로 받아 주시고 용기와

희망으로 길을 열어 주셨다.

졸업식 날 모든 행사가 끝나고 마지막 노래를 합창하였다.

유리 상자의 아름다운 세상.

처음 듣는 가사에 가슴이 멍해지고 울컥했다

"우리 함께 만들어가요 아름다운 세상."

우주 최강 킹 짱

이사하면서 책장 서랍장에 모아둔 옛날 편지들을 발견했다. 정신없이 짐을 챙기느라 자세히 살피지 못하고 따로 챙겨두었다. 편지들은 대부분 내가 남편에게 쓴 연애편지 들이었다. 분명 내가 쓴 건 알겠는데 편지 내용들은 좀 낯설고 어색한 사랑 고백들로 가득해서 오글거렸다. 이렇게까지 내가 표현을 마구마구 했었나 싶다. 내 기억으로는 별 표현도 못 하는 소심하고 수줍은 소녀였는데 말이다.

여러 개의 편지를 읽던 중 나에게 온 경미의 편지가

있었다. 휴가 때 나랑 함께 놀다가 다시 직장에 출근해서는 아쉬움과 나의 취직을 응원하며 쓴 편지였다. 신혼인 언니 집에 함께 살면서 조금은 시샘하며 투정 부리는 게 웃음이 났다.

자주 만나지 않아도 평범한 일상생활 속에서 문득문득 안부가 궁금하고, 때로는 웃다가도, 어떨 땐 울면서도 생각나는 친구가 있다. 여고 동창 경미가 그러하다. 고등학교는 나의 종교와 상관없이 천주교 학교에 다녔다. 학교에서 처음 해보는 의식들은 신기했다. 일주일에 한 번 있는 미사 시간은 일어났다 앉았다 해서 번거롭고 귀찮기만 했다. 하지만 하얀 미사포를 머리에 쓰고 미사 드리는 모습은 순결하고 성스럽게 느껴져서 좋았다. 친한 친구는 나중에 진짜 수녀님이 되기도 했다.

가장 큰 행사였던 <성모의 밤>은 고등학교 시절 가장 인상 깊게 남아있다. 교문을 막 들어서면 성모 마리아 상이 있었는데 장미꽃으로 가득 장식을 하고 촛불을 밝혔다. 그 성스러운 아름다움이 인상적이긴 했지만, 경미와 밤에도 함께 있었던 그 들뜬 기분이 좋았다.

경미는 공부도 잘했다. 그러나 친구들이 대학을 고민하고 있을 때 경미는 직장을 정했다. 아무리 생각해 봐도 형편상 식구들에게 의지하지 않아도 되고, 살길을 스스로 빨리 헤쳐 나갈 수 있다는 생각에 간호대학에 들어갔다. 내가 먹고 대학생 생활을 할 때 경미는 두꺼운 책과 씨름하며 간호사 시험을 준비했고 신촌 세브란스 병원에 취직했다.

첫 월급을 받고 예쁜 가방을 선물해 주었다. 힘들게 공부해서 스스로 번 돈으로 꼭 나에게 선물하겠다는 경미의 마음이 얼마나 고마웠는지 모른다. 경미는 그동안 힘든 병원 생활을 다 잊은 표정으로 환하게 웃고 있었다. 경미는 간호사 생활이 힘들다며 투덜거리면서도 뒤에는 늘 보람과 뿌듯함이 함께 있었다. 언젠가는 "내가 자존심은 있지, 그냥 지금 그만두면 내가 못 견디고 포기한 게 되니까 딱 10년 하고 미련 없이 그만둘 거다. 알았지?" 했다. 그렇게 자존심을 걸고 한 해 한 해 열심히 일을 하였고 나 역시 10년 지나 언제 그만두냐고 묻지 않았다.

경미의 결혼식 날엔 눈이 엄청나게 왔다. 결혼하고도 일은 계속했다. 아들을 낳고도 일은 계속했다. 아들을 맡길 곳을 찾을 때도 일을 쉬어야 하나 고민하지 않았다.

각자의 일상에 밀려 서로 만나지 못하고 그냥 마음으로만 안부를 전하게 되었다. 몸이 불편한 아들을 돌봐야 해서 마음 놓고 경미랑 수다를 떨 수도 없었다. 행여나 나의 무거운 마음이 경미에게 전해질까 걱정되어 더욱 만나기가 어려웠다. 아이들과 지지고 볶고, 하루하루 그날이 그날이고, 새로울 것도 없는 내 대화거리가 미안해졌다.

내가 이사하고 경미는 집에 놀러 왔다. 시간 가는 줄 모르고 쉬지 않고 얘기했다. 그동안 만나지 못한 시간들은 다 수다로 채워졌다. 경미는 30년을 채우고 퇴직을 했다. 코로나로 다른 어느 때보다 더 열심히 최선을 다해 마지막을 불태우고 미련 없이 퇴사했다. 동료들은 "우주최강" "우주 킹 짱"이라며 부러워했다고 한다.

자존심을 핑계로 10년을 버텨내던 경미는 30년을 사명감으로 해냈다. 누가 뭐라 해도 칭찬받아 마땅하다. 50 중반인 경미의 모습은 너무도 당당하고 아름답다. 경미를 보면 역시 왠지 모를 뿌듯함이 벅차오른다. 친구야 고맙다. 넌 정말 "우주 최강 킹 짱"이야. 인정!

꿈이 전업주부입니다만

3년 전에 대학을 졸업하고 처음으로 친구들을 만났다. 각자 멀리 떨어져 신혼을 시작하고 바로 아이 낳아 키우며, 이래저래 마음뿐이지 만나질 못했다.

남편 없이 처음 혼자 떠나는 여행이었다. KTX 좌석까지 확인해 주고 잘 놀다 오라며 마중해 주는 남편이 고마우면서도 혼자서 아무것도 할 줄 모르는 내가 80 할머니 같아 눈물이 핑 돌았다. 그래도 신세 한탄을 하기보다는 어쨌든 시작된 여행을 즐기기로 마음을 바꿨다. 두려우면서도 신났다. 아이들을 다 키워 놓고도 내 시간을 가지지 못했다. 친구들과의 만남은 수다 그 자체였다. 그동안 지낸 이야기, 아이들 이야기, 남편 이야기, 시댁 이야기. 끝도 없이 이어졌다. 한 자리에서 얘기하다 배고프면 먹으러 옮겼다.

"너, 결혼하고 계속 전업주부였던 거지? 네가 제일 부럽다. 우리 유치원 선생님들은 모두 꿈이 전업주부다."
"이렇게 햇살 가득한 날에 여유롭게 창가에 앉아 커피 마시며 수다도 떨고 싶다. 시간에 쫓기지 않고 느긋하게 즐기고 싶어."
"주부도 모닝커피를 즐기는 게 좋긴 하지만 출근하는 직장 여성을 부러워하지."
"그건 그렇다. 어쩌다 하루, 그렇게 즐기고 싶은 것이지 계속은 나도 못 할 것 같아."

전업주부여서 내 존재가 무시당한 것 같은 기억이 떠올랐다.
CC였던 나는 알바로 과외만 하다가 결혼하여 3년 안에 딸, 아들, 딸을 출산했다. 직장생활은 해보지도 못하고 아이들 키우면서 당연히 살림만 하고 살았다. 벌어 오는 돈으로 알뜰하게 생활하고 모으는 게 삶의 재미였다.

10년 거주하던 공동명의로 된 집을 팔고 다른 집을 사게 되었다. 부동산에서 "자금조달 계획서"를 써 오라고 했다. 집을 매수하면 반드시 제출해야 등기를 할 수 있다고 했다. 부부 공동명의로 계약한 상태여서 집값의 반은 내가 지불해야 하는 것이었다.

'음......

가정주부가 그 큰돈을 어떻게 벌어? 모아?'

부동산에서는 그냥 남편이 증여했다고 쓰면 아무런 문제가 없다고 알려 주었다. 적금으로 모았어도, 주식 투자를 했어도 그 돈의 출처가 남편에게서 나온 것이니 아끼고 불렸어도 결국 증여인 셈이란다. 사부작사부작 집에서 아이 돌보며 알바를 했어도 세금 내지 않을 정도의 적은 돈에 불과했다. 아이 낳아 키우고 살림한 것은 경제활동으로 인정받지 못한다.

남편의 수입은 나와 함께 번 돈이라 생각했다. 나는

그것이 결혼생활의 기본이라 생각했다. 아이를 누군가에게 맡기면 대가를 지불해야 한다. 내가 아이를 봤으니 그 대가는 내가 번 것이다. 그것도 3명이나. 양육비도 가사 도우미 비용도 주부가 다 지출할 비용을 번 것이다. 그래서 가정주부는 남편 혼자 벌어서 생활하는 게 아니다. 이것이 나의 경제 논리였고 남편도 인정해 주고 고마워했다. 그런데 나라는 세금 낸 돈이 아니라서 내가 번 돈이 아니란다. 억울했다. 나만 이런 기분일까? 가정주부는 경제활동을 인정받지 못한다. 맞벌이는 당당히 세금을 내고 연금도 받는데 말이다.

　친구는 퇴직할 계획을 가지고 있었고 전업주부의 꿈은 빨리 이루어졌다. 1년만 일하지 말고 꾹 참고 쉬어보라 했다. 친구의 성격상 쉽지 않을 것이다.

친구는 늦잠을 즐겼을까?

햇살 좋은 창가에 앉아 여유 있게 커피를 마시며 무슨 생각을 했을까?

누구를 만나 함께 공감하며 수다를 떨며 웃었을까?

전업주부를 즐기며 행복해하고 있을까?

한참을 지나 친구는 인도로 단기 선교활동을 가게 되었다며 연락해 왔다. 퇴직하고 계획에도 없던 새로운 길을 인도하는 대로 가보려 한다고 설레어했다.

얼마 전 부고 소식에 친구를 다시 만났다. 친구 어머니는 친구가 고등학생 때에도 건강이 좋지 않으셨다. 그동안 유방암, 위암, 대장암 수술에 협착증 수술, 허리 수술, 최근에 고관절 수술까지 하셨다 한다. 어떻게 그 힘든 수술을 견디고 이겨내셨을까?

친구가 반바지를 사달라고 했더니 엄마는 바지값의 반절만 주셨다고 했다. 왜 반값이냐고 더 달라고 했더니 반바지라 바지 반값 주셨다고 해서 한참을 웃던 기억이 났다. 친구는 고생한 엄마를 생각하면 그래도 편히 보내 드릴 수 있다고 했다.

친구는 인도 선교를 다녀와서 생각지도 못한 보험설계사 일을 시작했다고 했다. 전업주부 6개월 만이다. 학교 다닐 때도 공부하기 싫어했는데 나이 먹어 새로운 것을 배우는 게 힘들지 않은지 물었다.

"우연히 새로운 일을 하게 되어 재미있고 신나. 그리고 나 투 잡해."

꿈이 전업주부라면서 투 잡이라니!

전업주부 쉽지 않지? 아무나 하는 게 아니란다.

양귀비, 판넬 위 아크릴 혼합재료, 2022

내일의 태양

두 번의 자살 시도를 했다. 친구는 고등학교 바로 옆 한옥 마을에 살았다. 날 맑은 토요일 친구 집에 놀러 갔던 기억이 난다. 학교 수업이 끝나고 친구 집에 놀러 간건 처음이었다. 나는 소극적이고 활동성이 없어서 친한 친구도 별로 없었고 집까지 왕래할 친구는 더욱 없었다.

아파트에 살던 난 마당 있는 친구 집이 참 좋았다. 한옥 마을로 지정되어 맘대로 고치고 살 수가 없어 불편하다고 불만이 많았다. 추운 겨울엔 출입구 쪽으로 비

널을 둘러 입구를 만들 정도였다. 친구는 빨리 졸업하고 집을 떠나고 싶다고 했다. 대학 진학은 생각지도 못하는 형편이라 많이 방황하는 듯했다. 목표는 독립이다. 학교에 나오지 않는 날이 길어지고 자살 시도가 있었다는 얘기를 들었다. 이유는 알 수 없었지만, 다행히 졸업하기 위해 수업 일수를 채우러 등교했다.

간호조무사가 된 친구는 치과에 취직하여 수원으로 떠났다.
그토록 바라던 독립을 이룬 것이다. 왜 그렇게 집을 떠나고 싶었는지 말하지 않았다. 자살의 이유가 뭔지도 알지 못했다. 묻지도 못했고 말하지도 않았다.

직장생활을 하며 친구는 학생 때와는 사뭇 많이 달라 보였다. 간호사와 간호조무사를 비교당하기 싫어했다. 빼짝 말라 뼈밖에 없으면서 어디서 그런 깡다구가 나오는지 하고자 하면 기필코 해냈다. 손도 야무지고 일머리도 있어 일하면서 오히려 자신감이 생겨 당당해져 갔다.

친구의 생활이 일상적이다 싶어 마음이 놓였다.

남자도 사귀고 있었고 사소한 일상에도 행복해했다. 독립해서 지내는 생활도 만족해했다.

 나는 그때까지도 집을 떠난 적이 없다. 심지어 여행도 다니지 않았고 집과 학교를 반복하며 활동 반경은 한정돼 있었다.

타 지역에서 온 동기들이 모임이 끝나면 우리 집 버스 정류장까지 배웅해 줄 정도였다. 민중서관 사거리가 가장 핫한 장소이다. 사거리니만큼 커피숍이나 호프에서 만나 헤어질 땐 매번 집 방향을 잃어버린다. 다행히 약속 장소는 집에서 버스 타고 민중 서관 사거리 역에서 내려 민중서관에서 만난다. 그 후의 장소나 집에 갈 때까지는 약속 상대가 해결해 준다. 버스를 태워줘야 끝난다는 말이다. 그런 내가 급하게 수원이란 곳에 갔다. 무서울 것도, 생각할 틈도 없었다.

 친구는 두 번째 자살 시도했다.

사귀던 남자 친구 때문이었다. 처음 만났을 땐 몰랐지

만 그는 유부남이었다고 했다. 남자는 만나면서도 부인과는 사이가 좋지 않은 상태이며 이혼 준비 중이라고 했다. 남자의 힘든 모습을 보면서 더욱 신경이 쓰이고 마음이 갔던 것 같다. 부인은 남편에게 헤어지자며 만나자고 약속을 하고는 그 시간에 맞춰 자살극을 벌였다. 남자는 결국 헤어지지 못했다. 남자는 이번이 처음 바람이 아니었고 부인은 처음부터 헤어질 생각도 없었다고 했다. 친구는 어렸고 남자의 말만 찰떡같이 믿었던 것이다. 친구는 자살에 실패하고 죽고 싶은 사람 살려주는 건 무슨 심보냐며 억울해했다. 친구는 그렇게 꿈꾸던 독립을 끝냈다. 다시 집으로 돌아오고 싶어서 나를 부른 것이다.

친구는 한옥 마을로 다시 돌아왔다.
치과에서 간호조무사를 하며 모은 돈으로 집 앞 상가에 만화방을 냈다. 어린 나이에 사장이 되었다. 그런 용기는 어떻게 생기는 건지 놀랬다. 하고자 목표를 정하면 무섭게 이루어 나갔다. 뒤돌아보며 망설이지 않고 앞만 보고 덤빈다. 한 번 아닌 건 아닌 것이다. 망설이거나 주저함이 없었다. 그런 게 친구의 매력이다. 다시 친구의 얼굴에 꽃이 피기 시작했다.

친구는 만화방에 수시로 들락거리는 남자 손님이 불편하다며 자주 대화에 이름을 올렸다. 문 닫는 시간도 무시하고 와서는 가지도 않고, 밥같이 먹자고 술 한잔하자고 떼쓰기 일쑤라고 했다. 나이는 한 살 어리고 변변한 직장도 없이 친구들과 몰려다니며 돈을 펑펑 쓴다며 싫다고 했다.

그렇게 연인도 아니고 손님도 아닌 상태로 시간이 흐르자 남자는 당당히 결혼을 요구했다. 끝까지 헤어져 주지도 않을 것 같다며 두려워했다. 원주에 있는 언니 집으로 피해 보았지만 소용없었다. 부모님 집까지 찾아가 행패를 부릴 거란 생각에 오래 버티지 못했다.

결국 남자의 너 아니면 죽는다는 말에 사람 하나 살려 보련다고. 호기롭게 결혼을 했다.

친구는 내 딸과 한자 이름까지 같은 소연이를 키우며

철들지 않는 남편 때문에 힘들어했다. 아이를 키우면서도 남편은 정기적 수입이 없었다. 친구는 아이를 키우며 직장생활을 했고 돈을 좀 모으면 귀신같이 알고 사고를 쳐 돈이 들어갔다. 자격증 시험을 본다며 시간을 벌었고 총각인 친구들과 맘 편히 놀러 다녔다. 막노동을 하면 현금을 들고 들어오는데 그 일도 계속하진 못했다. 둘째를 임신했다며 덤덤히 말했다. 남편이 책임감이 생기면 좀 철들까 싶다고 둘째 임신을 희망적으로 생각했다.

그러나 그런 희망이 무색하게도 친구는 이혼을 준비했다. 전혀 바뀌지 않는 남편을 더 이상 기대할 게 없다며 아이들만 바라보고 살겠다고 했다. 하지만 어린 아기를 맡겨야 일해서 생계를 꾸릴 수 있었다. 결국 남편은 이혼할 수 없다고 새로운 사람이 되겠다고 빌고 빌어 이혼 접수장을 내지 못해 결혼생활을 유지하게 되었다.

친구의 바람은 이젠 이루어진 걸까? 남편은 조경 사업

을 시작해 어느 정도 자리를 잡아가고 있다고 했다. 임대 아파트에 들어가서 내년이면 분양 신청을 할 수 있다고 좋아한다. 50이 넘은 지금도 삼 교대 일하며 노후를 준비한다. 하루하루 열심히 최선을 다해 조금씩 조금씩 앞으로 나아간다. 요즘은 갑자기 병원에 구조조정 바람이 불어 분위기가 어수선하고 정신이 없다 했다. 그만두면 실업 수당을 받을 수 있는 조건으로 "제가 나가겠습니다." 당당하게 상담을 마쳤다고 한다. 이제까지 일만 했지 한 번도 실업 수당을 받은 적이 없어서 일하지 않고 받는 실업 수당이 좋단다. 내일 배움 카드를 이용해 하고 싶은 일을 새롭게 배우며 준비하는 것도 좋은 기회라 생각하고 있었다.

"넌 분명 9개월 실업 수당을 받지 못할걸?"
분명 쉬지 못하고 다른 일을 시작할 것이다. 나이 젊은 직원들이 새로운 것에 도전하기보다는 적은 월급이라도 안정적인 월급에 안주하는 것을 이해할 수 없다고 한다. 50세 넘은 젊은 언니는 새로운 뭔가를 기대하며 꿈꾸는 게 마냥 신나 있다.

친구의 젊은 모습이 떠오르며 변하지 않은 겁 없고 진취적인 성격에 박수를 보낸다. 아침 명상을 하며 친구에게 희망의 에너지를 보낸다. 친구의 내일의 태양을 응원하고 기대해 본다.

여행, 판넬 위 아크릴과 레진, 2022

여행, 판넬 위 아크릴과 레진, 2022

오랜 인연

학부모는 처음이라 학부모 총회에 긴장되고 설레는 마음으로 참석했다. 동생과는 연년생이고 동생이 입학하면 신경 써 주는 게 힘들 것 같았다. 처음이자 마지막으로 큰 딸의 학교생활에 조금이나마 관심을 표하고 싶어서 어머니회에 들고 싶었다. 다행히 8명의 어머니회 정원에 겨우 들 수 있었다.

나 말고 6명은 같은 아파트에 살면서 벌써 아는 사이였다. 그렇게 만들어진 어머니회는 2명의 회원이 교체되고 "징검다리" 모임으로 20년을 이어왔다. 이 동네를 떠나 이사한 사람은 두 명뿐이다. 처음엔 한 달에 1회였다가, 아이들이 고등학생일 때는 두 달에 한 번 모임을 가졌다. 아이들이 대학에 입학한 후에는 시간에 여유가 생겨 매달 첫째 주 수요일에 정기 모임을 하고 있다.

그 사이 아이들은 쑥쑥 자랐고 군대도 다녀왔고 취업도 하였다. 벌써 결혼을 준비하는 아이도 있다. 남편들은 퇴직을 준비하기도 하고 벌써 퇴직하여 다른 일을 준비하기도, 사업을 시작하기도 하였다. 사업을 정리하고 하고 싶은 일을 준비하며 공부하기도 한다. 아무도 변화하는 상황을 노심초사하거나 불안해하지 않는다. 부모님이 돌아가셨거나 시골에 사는 경우가 아니면 부모님을 찾아뵙고 살피는데 지극정성을 쏟는다. 특별한 날이 아니어도 모시고 식사하거나 함께 여행하며 카페도 모시고 다닌다. 요일을 정해서 다녀오는 분도 있다. 다들 효녀들이다.

한 분만 사업을 하고 모두 가정주부이다. 아이들이 자

라면서 직장을 구하기도 하고, 이사를 하기도 해서 모임이 소원해지거나 깨지기도 했을 텐데 변함없이 잘 유지되고 있다. 안정적인 경제 수준 덕분인지 골프 취미 활동도 함께하며 취직할 생각도 없다. 멀리서 오는 것도 베스트 드라이버라 낮 모임, 밤 모임 꺼리지 않는다. 동네 식구들은 카페 나가며 톡을 올려 수시로 만나 수다 떨고 크게 웃으며 스트레스를 푼다. 오래 만나 편하고 스스럼없어 좋다. 문득 학창 시절 수첩에 써 내려간 유안진의 [지란지교를 꿈꾸며]가 생각난다.

저녁을 먹고 나면
허물없이 찾아가 차 한 잔 마시고
싶다고 말할 수 있는 친구가 있었으면 좋겠다.
입은 옷을 갈아입지 않고
김치 냄새가 좀 나더라도
흉보지 않을 친구가
우리 집 가까이에 있었으면 좋겠다.

일요일. 월요일 1박 2일로 홍천 소노펠리체 빌리지로

여행을 다녀왔다. 불평불만 없이 한마음 한뜻으로 움직인다. 한우를 먹고 나오는 데 걸리는 시간은 고작 40분이면 충분하다. 물론 된장찌개랑 비빔국수까지 클리어하는데 말이다. 수타사엔 불두화가 흐드러지게 피어있어 사진 찍기에 좋았다. 생태숲 둘레길 산책 코스는 작은 오솔길을 걷는 듯 운치가 있다. 코스가 길지 않아 힘들지 않고 적당하다.

우리 일행 중간에 끼어 걷던 커플 옷을 입은 젊은 연인은 뒤에 오는 우리에게 길을 양보하듯 옆으로 비켜서 주었다. "아줌마가 되면 목소리가 커지나 봐." 우리들이 너무 시끄러웠나 보다. 짜증 내지 않고 잠시 거리를 두어 배려해 주는 여유에 고맙고 미안하였다. 그래도 깔깔깔 깔깔깔 까르르까르르 이건 포기 못하지.

작년엔 코로나로 캐나다 여행이 취소되어 모아둔 여행 경비를 각자 알아서 쓰기로 했었다. 소파를 사기도 하고, 금을 사기도 했다. 주식에 넣으면 또 빠진다고 바로 명품 백을 구입하기도 했다. 3년을 모은 돈이라 제법 큰 돈이었다. 나는 주식에 넣었다. 내년엔 사둔 주식이 수익이 많이 나길 바래본다. 내년엔 꼭 캐나다로 여행 가기로 했다. 벌써 함께할 캐나다 여행이 기대되며 다들 건강도 상황도 변수가 없길 바래본다.

총회 날 어머니회 종이를 왼쪽으로 돌려 마지막에 내 이름을 적을 수 있어 이 귀한 인연들을 만날 수 있는 행운을 얻었다. 지금까지 함께한 20년 보다 더 긴 함께할 날들을 기대한다.

어버이날

　결혼을 하기 전에는 부모님의 사고방식, 교육관, 철학, 생활방식이 그대로 나의 가치관으로 자연스레 자리 잡았고 세상의 전부였다. 결혼을 하면서 또 다른 우주가 존재함을 알았다. 하늘 아래 두 개의 태양이 공존할 수 없음은 당연지사. 결혼 이후 종종 가치관의 혼란이 생기기도 하고 또 다른 면모에 웃음이 나기도 했다. 결혼생활은 옳고 그름이 아니라 다름을 인정하는 시간들의 연속이다.

　시댁과 친정의 큰 차이는 돈을 대하는 태도이다. 시부

모님은 돈을 악착같이 아끼신다. 어머님은 공무원인 아버님이 주신 월급을 다섯 자녀 키우며 조금씩 모아 놓음을 사는 게 낙이였다 하셨다. 학창 시절 남편은 식비와 교통비가 딱 용돈의 전부였다. 식비와 교통비가 인상되었어도 용돈 인상은 없었다. 연애할 때 내가 쓰는 경비가 더 많았다.

친정엄마는 딱히 생활비를 정해서 쓰지 않으셨다. 그래서 늘 먹는 것도 풍족했고 갖고 싶어 안달하는 물건도 없이 풍족하게 생활했다. 그렇다고 빚내서 과소비하거나 보이는 걸 중시했다는 뜻은 아니다. 아끼는 게 뭔지 몰랐다. 늘 그렇게 해주고도 언제나 해준 게 없다고 맘 아파하신다. 돈은 조금 여유가 생기기만 해도 네 자녀에게 나눠주고자 하신다. 모으거나 굴릴 생각은 없다. 그냥 자녀에게 어떻게든 빨리 주고 싶어 하신다. 그러니 자꾸 돈은 쪼개지고 큰 자산이 되지 못한다. 참고로 시댁은 아껴서 지금은 큰 부자라는 것도 아니고, 친정은 쓴다고 있는 돈 없는 돈 다 썼다는 뜻은 아니다.

남편은 경제권을 다 나에게 주었고 나도 엄마와 별다르지 않게 돈을 대했다. 우연히 돈에 대해 인식을 하게 되면서 심각하게 생각해 보았다. 시부모님처럼 아끼고 아껴 큰돈을 만들 것인지, 필요한 곳에 적절히 쓰며 삶의 여유를 누리며 살 것인지 결정하고 싶었다. 딸들을 키우며 잘잘하게 돈 욕구를 채워 주기보다는 시부모님의 가치관을 선택하기로 했다. 조금은 인색한 부모라고 생각하더라도 스스로 노력하며 부족한 듯 만족할 줄 아는 아이를 응원해 주고 싶다.

시댁과 친정은 자녀를 대하는 방식도 조금 다르다. 열 손가락 깨물어 안 아픈 손가락이 없다는 옛 속담은 이제 무색해졌다. 요즘은 열 손가락 중 들 아프게 깨우는 손가락이 있다고 한다. 시부모님은 속 썩이고 부족한 자식보다는 평안하고 기쁨 주는 자식에게 더 관심과 애정을 주신다. 한 번씩 안부 전화를 드리면 "너네나 잘하고 지내라. 나이 들면 다 그렇지. 괜찮다." 하신다. 아픈 손주가 생각나 괜한 걱정을 드린 건 아닌지 죄송하기만 하다. 아픔을 함께 마주하고 견딜 자신이 없는 것이다.

그러나 친정 부모님은 힘들어하는 자녀를 외면하지 못하시고 함께 애통해하시며 밤잠을 이루지 못하신다. 어떨 땐 적당히 모른 척해 주시면 좋겠다는 생각이 들 정도이다.

학창 시절 공부 못하는 막내딸이 상처 입을까 걱정되어 늘 100점과 상장이 가방에 넘쳐나는 동생을 칭찬해 주지 못하셨다. 건강하지 못한 손주를 가까이에서 돌보시며 편한 날이 없으셨다. 고향으로 이사하길 권할 수밖에 없었다. 눈으로 보지 않고 잘 있다는 안부로 조금은 편한 생활을 지켜 드리고 싶어서였다.

친정 부모님은 나이가 많이 드시니 근심과 염려가 늘어간다. 오가는 길이 위험하고 피곤할 테니 이젠 생일이고 명절이고 오지 말라고 하신다. 보고 싶은 마음보다 자식이 더 걱정이신 모양이다.

시부모님은 극심한 코로나 시국에도 오지 말라는 연락은 한 번도 없었다. 코로나가 무서워 자식을 못 보는 것보다 코로나에 걸릴 위험이 있더라도 자식을 보고 싶은 것이다.

나이 든 나를 생각해 본다. 아마도 거부할 수 없이 엄마의 모습이지 않을까 살짝 두려워진다. 엄마에게 자식의 맘은 왜 모르냐고 따지듯 투정을 부리지만 나 역시 친정엄마처럼 그럴 것 같다. 남편과 딸들은 친정엄마를 보며 나이 든 나를 상상한다. 걱정된단다.

자격지심일까? 가장 큰 차이점은 여자의 경제생활에 대한 이해다. 시댁에서는 며느리 딸들 중에 나만 일하지 않는다. 친정집에서는 막내며느리만 일한다. 시어머니는 막내아들을 장가보내면서 맞벌이할 아들에게 마누라 기다리지 말고 일찍 퇴근하면 밥도 해놓고 다림질도 스스로 하라고 가르치셨다. 시어머니는 두 손녀딸을 맡아 키워 주셨다. 며느리가 일 할 수 있게 많은 것을 배려해주셨다.

친정에선 어떤 뛰어난 능력이 있어도 자녀를 양육하는 것보다 우선시 되지 않는다. 막내며느리는 맞벌이하면서도 시댁에 유세하기는커녕, 딸 키우는데 행여 소홀함이 있을까 조심스러워하는 듯했다. 서울대 박사에 교육학 교수인데도 말이다. 더 이상 내가 아들을 지키지 않아도 되었을 때, 시어머님은 집 근처에 일할 곳은 없는지 찾아보라고 말씀하셨다. 친정엄마는 "돈을 벌면 얼마나 번다고 먼지 쓰고 일하냐, 그동안 못한 너하고 싶은 거 하고 건강이나 챙겨라." 핀잔을 주신다. 시댁과 친정의 온도 차이가 크다.

큰딸은 벌써 결혼, 출산, 자기 성장에 대한 고민이 많은듯하다. 경력단절보다는 남편이 육아휴직을 하는 건 어떠냐고 질문을 한다. 마음껏 자기 능력을 펼쳐보고 싶은 딸아이의 욕심도 이해가 간다. 여자의 경제활동과 육아 문제는 큰 고민이 될 것이다. 육아는 누가 해야 할까? 시댁 스타일? 친정 스타일? 아직은 잘 모르겠다.

10월이면 결혼생활 만 29년이 된다. 부모님과 함께한 시간보다 더 긴 시간이다. 시댁과 친정의 문화가 적당히 조화를 이루며 딸들의 작은 우주가 되었다. 92/85세

시부모님, 85/82세 친정 부모님은 병원에 입원하는 일 없이 건강을 잘 유지하고 계신다. 자식들 고생 안 시키려고 더 신경 써서 몸 관리하신다. 불평불만도 없으시고 평온한 노년의 삶을 감사하게 받아 들이 신다. 어버이날에 카네이션 액자를 정성스럽게 만들어 감사하는 마음으로 양가 부모님을 찾아뵙고 왔다. 존경스럽고 아름답다.

어버이날이라고 딸들이 꽃과 와인을 준비했다.
감사한 부모님, 고마운 딸들.

에필로그

 글을 쓰고 싶다는 욕심으로 시작하여 결국 끝에 와 닿았다.

내가 아들과 함께한 시간에서, 처음 아들이 나와 함께한 긴 여정의 시간이었다. 글을 쓰면서 아들을 많이 추억하며 울다가 웃다가 행복했다.

 우리 바람으로, 구름으로, 꽃으로, 비로 함께하자.

이렇게 다시 일상을 시작하자.

남편과 소연, 소정, 시어머님, 친정 부모님 사랑하고 감사합니다. 언제나 함께해준 고마운 경모 친구 황민영,

슬리퍼형아 강정목 선생님, 활동 보조 심정구 선생님, 신영 미술 학원 원장 선생님, 국어 방 선생님. 또한 아들과 함께한 많은 도움의 손길들에 무한 감사를 드립니다. 모든 장애 활동 단체와 장애우 또한 부모님들께 위로와 사랑을 전합니다.

들꽃, 판넬 위 아크릴혼합, 2022,